COLLECTION PARCOURS D'UNE ŒUVRE
Sous la direction de Michel Laurin

L'AVARE

DE

MOLIÈRE

Texte intégral

SUIVI D'UNE ÉTUDE DE L'ŒUVRE

PAR

LUC BOUVIER
PROFESSEUR AU COLLÈGE DE L'OUTAOUAIS

Beauchemin

L'AVARE DE MOLIÈRE
TEXTE INTÉGRAL
SUIVI D'UNE ÉTUDE DE L'ŒUVRE PAR LUC BOUVIER
COLLECTION « PARCOURS D'UNE ŒUVRE » SOUS LA DIRECTION
DE MICHEL LAURIN

L'auteur remercie Pascale Prud'homme pour sa collaboration et le Collège de l'Outaouais qui l'a libéré d'un cours à la session d'automne 1999.

 Groupe Beauchemin, éditeur ltée
3281, avenue Jean-Béraud
Laval (Québec) H7T 2L2
Téléphone : (514) 334-5912
1 800 361-4504
Télécopieur : (450) 688-6269
http://www.beauchemin.qc.ca

Nous reconnaissons l'aide financière du gouvernement du Canada par l'entremise du Programme d'Aide au Développement de l'Industrie de l'Édition (PADIÉ) pour nos activités d'édition.

ISBN : 2-7616-0994-8

Dépôt légal : 1er trimestre 2000
Bibliothèque nationale du Québec
Bibliothèque nationale du Canada

Imprimé au Canada
2 3 4 5 04 03 02 01

Supervision éditoriale : PIERRE DESAUTELS
Production : CAROLE OUIMET
Révision linguistique : SUZANNE TEASDALE
Conception graphique : MARTIN DUFOUR, A.R.C.
Conception et réalisation de la couverture : CHRISTINE DUFOUR
Mise en pages : TREVOR AUBERT JONES
Correction d'épreuves : DIANE TRUDEAU
Impression : IMPRIMERIES TRANSCONTINENTAL INC.

Table des matières

Harpagon.
Gravure de M. Sand (1823-1889).

«[D]E L'AVARICE ET DES AVARICIEUX»

(*L'Avare*, ACTE I, SCÈNE 3, lignes 267-268.)

LE thème «de l'avarice et des avaricieux» est très présent dans la littérature universelle : l'ont traité, tantôt sur le mode comique, tantôt sur un ton dramatique, l'auteur latin Plaute avec Euclion dans *La Marmite* (195 av. J.-C.), Shakespeare avec l'usurier Shylock dans *Le Marchand de Venise* (1596), Honoré de Balzac et le père Grandet dans *Eugénie Grandet* (1833), Charles Dickens et l'avare Scrooge dans la nouvelle «Un chant de Noël» (1843), et combien d'autres encore. Le thème est de toutes les époques et de toutes les sociétés. Pourtant, *L'Avare* de Molière, jouée pour la première fois le 9 septembre 1668, au Palais-Royal, ne plaît guère au public parisien de l'époque. Après neuf représentations, l'auteur la retire.

Le succès relatif de *L'Avare* s'explique d'une part par la forme de la pièce et d'autre part par son propos. À l'époque de Molière, une grande comédie en cinq actes ne pouvait être en prose. Les spectateurs l'ont donc boudée. Quant au propos, l'avarice, il n'a pas enlevé systématiquement les rires, d'autant que tout n'est pas comique dans la pièce. Harpagon et son vice corrompent tout sentiment, toute morale. Le sérieux et le grave s'y mélangent, ce qui a désarçonné le public d'alors. À mesure qu'on se rapproche du XXe siècle, le succès de la pièce se confirme. Le spectateur actuel ne s'attache plus à l'obligation d'écrire en vers, et le mélange des genres — comique et drame — s'est imposé comme une nécessité.

L'actualité de la pièce tient à son sujet, car chaque société est imprégnée d'un personnage d'avare notoire. Ainsi, Séraphin Poudrier[1], l'avare du roman *Un homme et son péché*, a fortement marqué la société québécoise. L'auteur,

1 Personnage qui sera transposé à la radio puis à la télévision dans *Les Belles Histoires des pays d'en haut.*

Claude-Henri Grignon, y présente un avare chez qui l'or suscite une véritable jouissance charnelle :

> « Un escalier, à gauche, conduisait à l'étage supérieur où un corridor étroit longeait deux grandes chambres séparées par une mince cloison. La première de ces chambres avait toujours servi de magasin au vieux garçon qui, pendant vingt ans, y avait entassé, pêle-mêle, des horloges, des montres, des harnais [...] et quoi encore, toutes choses, vieilles ou neuves, laissées en gage. C'est encore dans cette chambre que se trouvaient les trois sacs d'avoine [...]. Dans un des sacs, l'usurier cachait une grande bourse de cuir ne renfermant jamais moins de cinq cents à mille dollars en billets de banque, en pièces d'argent, d'or ou de cuivre. [...] Alors il le regardait avec amour, puis marmonnait de vagues paroles. Une curiosité immense, suivie d'une sensation inexprimable, s'emparait de lui, coulait dans tout son être ainsi qu'une poussée de sang neuf et rapide. C'était trop de félicité : Séraphin ne pouvait plus se retenir. Il plongeait sa main osseuse et froide dans le sac. Avec lenteur, avec douceur, il tâtait, il palpait, il fouillait parmi les grains d'avoine, et lorsqu'il sentait enfin — ô suprêmes attouchements ! — la bourse de cuir ou simplement les cordons, sa jouissance atteignait à un paroxysme que ne connut jamais la luxure la plus parfaite, et son cœur battait, fondait, défaillait.
>
> « Plusieurs fois par jour, il se vautrait dans cette volupté. [...] seul dans cette pièce obscure, séparé du monde, Poudrier se retrouvait réellement soi-même, alors que sa passion dominante le précipitait dans des accès de rage ou de douceur infinie.
>
> « Les trois sacs d'avoine représentaient pour Séraphin le seul Dieu en trois personnes[1]. »

Séraphin, l'avare québécois, et Harpagon, son équivalent français, ont tous deux la même passion : l'or.

1 Claude-Henri Grignon, *Un homme et son péché*, Éditions internationales Alain Stanké, coll. « $\frac{10}{10}$ », Montréal, 1977, p. 20-22.

Séraphin Poudrier.
Dessin de Michèle Goudro selon les indications fournies par Claude-Henri Grignon.

Gravure de J. Sauvé d'après P. Brissart
pour l'édition de 1682.
Le costume de Cléante (à gauche) contraste avec la
tenue simple et vieillotte d'Harpagon (au centre).

L'AVARE,

COMEDIE.

Par I.B.P. MOLIERE.

A PARIS,
Chez IEAN RIBOV, au Palais, vis-à-vis la Porte de l'Eglise de la Sainte Chapelle, à l'Image S.Louis.

M. DC. LXIX.
AVEC PRIVILEGE DV ROY.

Page de titre de l'édition de 1669.

LES PERSONNAGES

HARPAGON[1], *père de Cléante et d'Élise, et amoureux de Mariane.*

CLÉANTE, *fils d'Harpagon, amant*[2] *de Mariane.*

ÉLISE, *fille d'Harpagon, amante de Valère.*

VALÈRE, *fils d'Anselme, et amant d'Élise.*

MARIANE, *amante de Cléante, et aimée d'Harpagon.*

ANSELME, *père de Valère et de Mariane.*

FROSINE, *femme d'intrigue.*

MAÎTRE SIMON, *courtier*[3].

MAÎTRE[4] JACQUES, *cuisinier et cocher d'Harpagon.*

LA FLÈCHE, *valet de Cléante.*

DAME CLAUDE, *servante d'Harpagon.*

BRINDAVOINE, LA MERLUCHE, *laquais d'Harpagon.*

LE COMMISSAIRE ET SON CLERC.

LA SCÈNE EST À PARIS.

«La scène est une salle, et, sur le derrière, un jardin. Il faut deux chiquenilles[5] [ACTE III, SC. 1], des lunettes [ACTE III, SC. 5], un balai [ACTE III, SC. 1], une batte [ACTE III, SC. 1 et 2], une cassette[6] [ACTE IV, SC. 6], une table, une chaise, une écritoire, du papier, une robe [ACTE V, SC. 2], deux flambeaux sur la table au Ve acte» (*Mémoire* de Mahelot).

N. B. : Le texte est conforme à l'édition de 1669. Seules les didascalies des éditions de 1682 et 1734 ont été ajoutées pour en faciliter la compréhension.

1 *Harpagon* signifie «rapace» en grec et «grappin» en latin. Son costume lors de la création : «un manteau, chausse et pourpoint de satin noir, garni de dentelle ronde [unie] de soie noire, chapeau, perruque, souliers» (Inventaire après décès de Molière, 1673).

2 *amant, amante* : personne qui aime et est aimée.

3 *courtier* : intermédiaire entre le prêteur et l'emprunteur.

4 Le titre de maître lui est attribué parce qu'il est maître d'hôtel.

5 *chiquenilles* [ou *siquenilles*] : vêtements protégeant la livrée des valets.

6 *cassette* : petit coffre.

ACTE I

SCÈNE 1 : VALÈRE, ÉLISE

VALÈRE : Hé quoi ? charmante Élise, vous devenez mélancolique, après les obligeantes assurances que vous avez eu la bonté de me donner de votre foi[1] ? Je vous vois soupirer, hélas ! au milieu de ma joie ! Est-ce du regret, dites-moi, de m'avoir fait heureux, et vous repentez-vous de cet engagement[2] où[3] mes feux[4] ont pu vous contraindre ?

ÉLISE : Non, Valère, je ne puis pas me repentir de tout ce que je fais pour vous. Je m'y sens entraîner par une trop douce puissance, et je n'ai pas même la force de souhaiter que les choses ne fussent pas. Mais, à vous dire vrai, le succès[5] me donne de l'inquiétude ; et je crains fort de vous aimer un peu plus que je ne devrais.

VALÈRE : Hé ! que pouvez-vous craindre, Élise, dans les bontés que vous avez pour moi ?

ÉLISE : Hélas ! cent choses à la fois : l'emportement d'un père, les reproches d'une famille, les censures du monde[6] ; mais plus que tout, Valère, le changement de votre cœur, et cette froideur criminelle dont ceux de votre sexe payent le plus souvent les témoignages trop ardents d'une innocente amour[7].

---

1 *foi* : promesse de fidélité en amour.

2 La promesse de mariage que Valère et Élise ont mutuellement signée la veille (ACTE V, SC. 3).

3 *où* : auquel.

4 *mes feux* : mon amour (langage précieux).

5 *succès* : résultat (heureux ou malheureux).

6 *censures du monde* : condamnations de la société.

7 Au XVIIe siècle, *amour* est indifféremment masculin ou féminin.

Valère : Ah ! ne me faites pas ce tort, de juger de moi par les autres. Soupçonnez-moi de tout, Élise, plutôt que de manquer à ce que je vous dois : je vous aime trop pour cela, et mon amour pour vous durera autant que ma vie.

25 **Élise** : Ah ! Valère, chacun tient les mêmes discours. Tous les hommes sont semblables par les paroles ; et ce n'est que les actions qui les découvrent différents.

Valère : Puisque les seules actions font connaître ce que nous sommes, attendez donc au moins à juger de mon cœur par
30 elles[1], et ne me cherchez point des crimes dans les injustes craintes d'une fâcheuse prévoyance[2]. Ne m'assassinez[3] point, je vous prie, par les sensibles coups d'un soupçon outrageux, et donnez-moi le temps de vous convaincre, par mille et mille preuves, de l'honnêteté de mes feux.

35 **Élise** : Hélas ! qu'avec facilité on se laisse persuader par les personnes que l'on aime ! Oui, Valère, je tiens votre cœur incapable de m'abuser. Je crois que vous m'aimez d'un véritable amour, et que vous me serez fidèle ; je n'en veux point du tout douter, et je retranche mon chagrin aux appréhen-
40 sions du blâme qu'on pourra me donner[4].

Valère : Mais pourquoi cette inquiétude ?

Élise : Je n'aurais rien à craindre, si tout le monde vous voyait des yeux dont[5] je vous vois, et je trouve en votre personne de quoi avoir raison aux choses[6] que je fais pour vous.
45 Mon cœur, pour sa défense, a tout votre mérite, appuyé du

1 *à juger de mon cœur par elles* : pour juger mes sentiments par mes actions.
2 *dans les injustes craintes d'une fâcheuse prévoyance* : à cause de votre trop grande prudence.
3 *m'assassinez* : m'accablez (langage précieux).
4 *je retranche mon chagrin aux appréhensions du blâme qu'on pourra me donner* : je limite mon inquiétude aux reproches qu'on pourra me faire.
5 *dont* : avec lesquels.
6 *avoir raison aux choses* : justifier les choses.

secours d'une reconnaissance où le Ciel m'engage envers vous. Je me représente à toute heure ce péril étonnant[1] qui commença de nous offrir aux regards l'un de l'autre; cette générosité surprenante qui vous fit risquer votre vie, pour dérober la mienne à la fureur des ondes[2]; ces soins pleins de tendresse que vous me fîtes éclater[3] après m'avoir tirée de l'eau, et les hommages assidus de cet ardent amour que ni le temps ni les difficultés n'ont rebuté, et qui, vous faisant négliger et parents et patrie[4], arrête vos pas en ces lieux, y tient en ma faveur votre fortune[5] déguisée, et vous a réduit, pour me voir, à vous revêtir de l'emploi de domestique[6] de mon père. Tout cela fait chez moi sans doute un merveilleux effet; et c'en est assez à mes yeux pour me justifier l'engagement où[§] j'ai pu consentir; mais ce n'est pas assez peut-être pour le justifier aux autres, et je ne suis pas sûre qu'on entre dans mes sentiments[7].

VALÈRE : De tout ce que vous avez dit, ce n'est que par mon seul amour que je prétends auprès de vous mériter quelque chose; et quant aux scrupules que vous avez, votre père lui-même ne prend que trop de soin de vous justifier à tout le monde[8]; et l'excès de son avarice, et la manière austère dont il vit avec ses enfants pourraient autoriser des choses plus étranges. Pardonnez-moi, charmante Élise, si j'en parle ainsi devant vous. Vous savez que sur ce chapitre on n'en peut pas dire de bien. Mais enfin, si je puis, comme je l'espère,

---

1 *étonnant* : effrayant.

2 *la fureur des ondes* : la tempête.

3 *me fîtes éclater* : m'avez prodigués.

4 La patrie de Valère est Naples (ACTE V, SC. 5).

5 *fortune* : condition sociale.

6 Au XVIIe siècle, *domestique* désigne toute personne employée du maître de maison, quels que soient sa fonction ou son statut social.

7 *qu'on entre dans mes sentiments* : qu'on partage mon opinion.

8 *à tout le monde* : aux yeux de tous.

§ Les mots suivis du symbole [§] sont définis dans le «Lexique de l'œuvre», p. 206-207.

retrouver mes parents, nous n'aurons pas beaucoup de peine à nous le rendre favorable. J'en attends des nouvelles avec impatience, et j'en irai chercher moi-même, si elles tardent à venir.

75 **Élise** : Ah ! Valère, ne bougez[1] d'ici, je vous prie ; et songez seulement à vous bien mettre dans l'esprit de mon père.

Valère : Vous voyez comme[2] je m'y prends, et les adroites complaisances qu'il m'a fallu mettre en usage pour m'introduire à son service ; sous quel masque de sympathie et de 80 rapports de sentiments[3] je me déguise pour lui plaire, et quel personnage je joue tous les jours avec lui, afin d'acquérir sa tendresse. J'y fais des progrès admirables ; et j'éprouve[4] que pour gagner les hommes, il n'est point de meilleure voie que de se parer à leurs yeux de leurs inclinations[5], que de donner 85 dans leurs maximes[6], encenser[7] leurs défauts, et applaudir à ce qu'ils font. On n'a que faire d'avoir peur de trop charger[8] la complaisance ; et la manière dont on les joue a beau être visible, les plus fins toujours sont de grandes dupes du côté de la flatterie ; et il n'y a rien de si impertinent[9] et de si 90 ridicule qu'on ne fasse avaler lorsqu'on l'assaisonne en louange. La sincérité souffre un peu au métier que je fais ; mais quand on a besoin des hommes, il faut bien s'ajuster à eux ; et puisqu'on ne saurait les gagner que par là, ce n'est pas la faute de ceux qui flattent, mais de ceux qui veulent 95 être flattés.

1 Au XVIIe siècle, la deuxième partie de la négation (*pas*) est souvent omise avec un verbe à l'impératif.
2 *comme* : comment.
3 *rapports de sentiments,* synonyme de *sympathie.*
4 *j'éprouve* : je constate.
5 *inclinations* : goûts.
6 *de donner dans leurs maximes* : de les approuver.
7 *encenser* : flatter.
8 *charger* : exagérer.
9 *impertinent* : déplacé.

Élise : Mais que ne tâchez-vous aussi à gagner l'appui de mon frère, en cas que la servante[1] s'avisât de révéler notre secret ?

Valère : On ne peut pas ménager l'un et l'autre ; et l'esprit du père et celui du fils sont des choses si opposées, qu'il est difficile d'accommoder ces deux confidences ensemble[2]. Mais vous, de votre part, agissez auprès de votre frère, et servez-vous de l'amitié[3] qui est entre vous deux pour le jeter dans nos intérêts. Il vient, je me retire. Prenez ce temps pour lui parler ; et ne lui découvrez de notre affaire que ce que vous jugerez à propos.

Élise : Je ne sais si j'aurai la force de lui faire cette confidence.

SCÈNE 2 : Cléante, Élise

Cléante : Je suis bien aise de vous trouver seule, ma sœur ; et je brûlais de vous parler, pour m'ouvrir à vous d'un secret.

Élise : Me voilà prête à vous ouïr[4], mon frère. Qu'avez-vous à me dire ?

Cléante : Bien des choses, ma sœur, enveloppées dans un mot : j'aime.

1 Il s'agit de dame Claude, la servante. Lors de la promesse mutuelle entre les deux amoureux, elle a servi de témoin, en conformité avec le droit ecclésiastique.

2 *accommoder ces deux confidences ensemble* : obtenir à la fois la confiance du père et celle du fils.

3 *amitié* : affection.

4 *ouïr* : écouter, entendre.

Élise : Vous aimez ?

Cléante : Oui, j'aime. Mais avant que d'aller plus loin, je sais que je dépends d'un père, et que le nom de fils me soumet à ses volontés ; que nous ne devons point engager
120 notre foi§ sans le consentement de ceux dont nous tenons le jour ; que le Ciel les a faits les maîtres de nos vœux[1], et qu'il nous est enjoint[2] de n'en disposer que par leur conduite[3], que n'étant prévenus d'aucune folle ardeur[4], ils sont en état de se tromper bien moins que nous, et de voir beaucoup
125 mieux ce qui nous est propre[5] ; qu'il en faut plutôt croire les lumières de leur prudence[6] que l'aveuglement de notre passion ; et que l'emportement de la jeunesse nous entraîne le plus souvent dans des précipices fâcheux. Je vous dis tout cela, ma sœur, afin que vous ne vous donniez pas la peine
130 de me le dire ; car enfin mon amour ne veut rien écouter, et je vous prie de ne me point faire de remontrances.

Élise : Vous êtes-vous engagé, mon frère, avec celle que vous aimez ?

Cléante : Non, mais j'y suis résolu ; et je vous conjure
135 encore une fois de ne me point apporter de raisons pour m'en dissuader.

Élise : Suis-je, mon frère, une si étrange personne ?

Cléante : Non, ma sœur ; mais vous n'aimez pas : vous ignorez la douce violence qu'un tendre amour fait sur nos
140 cœurs, et j'appréhende votre sagesse.

1 *vœux* : désirs amoureux.
2 *enjoint* : ordonné.
3 *que par leur conduite* : qu'avec leur permission.
4 *que n'étant prévenus d'aucune folle ardeur* : qu'étant à l'abri des passions.
5 *est propre* : convient.
6 *prudence* : prévoyance, sagesse.

Élise : Hélas ! mon frère, ne parlons point de ma sagesse. Il n'est personne qui n'en manque, du moins une fois en sa vie ! et si je vous ouvre mon cœur, peut-être serai-je à vos yeux bien moins sage que vous.

Cléante : Ah ! plût au Ciel que votre âme, comme la mienne…

Élise : Finissons auparavant votre affaire, et me dites[1] qui est celle que vous aimez.

Cléante : Une jeune personne qui loge depuis peu en ces quartiers, et qui semble être faite pour donner de l'amour à tous ceux qui la voient. La nature, ma sœur, n'a rien formé de plus aimable[2] ; et je me sentis transporté dès le moment que[3] je la vis. Elle se nomme Mariane, et vit sous la conduite d'une bonne femme[4] de mère, qui est presque toujours malade, et pour qui cette aimable fille a des sentiments d'amitié§ qui ne sont pas imaginables. Elle la sert, la plaint, et la console avec une tendresse qui vous toucherait l'âme. Elle se prend[5] d'un air le plus charmant du monde aux choses qu'elle fait, et l'on voit briller mille grâces en toutes ses actions : une douceur pleine d'attraits, une bonté tout engageante, une honnêteté[6] adorable, une… Ah ! ma sœur, je voudrais que vous l'eussiez vue.

Élise : J'en vois beaucoup, mon frère, dans les choses que vous me dites ; et pour comprendre ce qu'elle est, il me suffit que vous l'aimez.

---

1 *me dites* : dites-moi. Au XVIIe siècle, le pronom personnel se place devant le verbe à l'impératif.

2 *aimable* : digne d'être aimé.

3 *que* : où.

4 *bonne femme* : femme âgée (sans nuance péjorative).

5 *se prend* : s'applique.

6 *honnêteté* : bonne éducation.

CLÉANTE : J'ai découvert sous main[1] qu'elles ne sont pas fort accommodées[2], et que leur discrète conduite[3] a de la peine à étendre à tous leurs besoins le bien qu'elles peuvent avoir. Figurez-vous, ma sœur, quelle joie ce peut être que de
170 relever la fortune d'une personne que l'on aime; que de donner adroitement quelques petits secours aux modestes nécessités d'une vertueuse famille; et concevez quel déplaisir[4] ce m'est de voir que, par l'avarice d'un père, je sois dans l'impuissance de goûter cette joie, et de faire éclater à
175 cette belle aucun témoignage de mon amour.

ÉLISE : Oui, je conçois assez, mon frère, quel doit être votre chagrin.

CLÉANTE : Ah ! ma sœur, il est plus grand qu'on ne peut croire. Car enfin peut-on rien voir de plus cruel que cette
180 rigoureuse épargne qu'on exerce sur nous, que cette sécheresse[5] étrange où l'on nous fait languir ? Et que nous servira d'avoir du bien, s'il ne nous vient que dans le temps que[§] nous ne serons plus dans le bel âge d'en jouir, et si pour m'entretenir même, il faut que maintenant je m'engage[6] de
185 tous côtés, si je suis réduit avec vous à chercher tous les jours le secours des marchands, pour avoir moyen de porter des habits raisonnables[7] ? Enfin j'ai voulu vous parler, pour m'aider à sonder mon père sur les sentiments où je suis; et si je l'y trouve contraire, j'ai résolu d'aller en d'autres lieux,
190 avec cette aimable[§] personne, jouir de la fortune[8] que le Ciel voudra nous offrir. Je fais chercher partout pour ce dessein de l'argent à emprunter; et si vos affaires, ma sœur, sont

1 *sous main* : secrètement.
2 *accommodées* : riches.
3 *discrète conduite* : modeste train de vie.
4 *déplaisir* : tourment.
5 *sécheresse* : manque d'argent.
6 *m'engage* : m'endette.
7 *raisonnables* : convenables.
8 *fortune* : destinée.

semblables aux miennes, et qu'il faille que notre père s'opposer à nos désirs, nous le quitterons là tous deux et
95 nous affranchirons de cette tyrannie où nous tient depuis si longtemps son avarice insupportable.

Élise : Il est bien vrai que, tous les jours, il nous donne de plus en plus sujet de regretter la mort de notre mère, et que…

00 **Cléante** : J'entends sa voix. Éloignons-nous un peu, pour nous achever notre confidence ; et nous joindrons après nos forces pour venir attaquer la dureté de son humeur.

SCÈNE 3 : Harpagon, La Flèche

Harpagon : Hors d'ici tout à l'heure[1], et qu'on ne réplique pas. Allons, que l'on détale de chez moi, maître juré filou[2],
05 vrai gibier de potence.

La Flèche, *à part* : Je n'ai jamais rien vu de si méchant que ce maudit vieillard et je pense, sauf correction[3], qu'il a le diable au corps.

Harpagon : Tu murmures entre tes dents.

10 **La Flèche** : Pourquoi me chassez-vous ?

Harpagon : C'est bien à toi, pendard, à me demander des raisons ; sors vite, que[4] je ne t'assomme.

1 *tout à l'heure* : tout de suite.

2 *maître juré filou* : voleur professionnel. Au XVIIe siècle, les niveaux hiérarchiques d'une profession étaient apprenti, compagnon, maître et maître juré.

3 *sauf correction* : sauf erreur (formule qui vise à atténuer les propos).

4 *que* : avant que.

LA FLÈCHE : Qu'est-ce que je vous ai fait ?

HARPAGON : Tu m'as fait que je veux que tu sortes.

215 LA FLÈCHE : Mon maître, votre fils, m'a donné ordre de l'attendre.

HARPAGON : Va-t'en l'attendre dans la rue, et ne sois point dans ma maison planté tout droit comme un piquet, à observer ce qui se passe, et faire ton profit de tout. Je ne veux 220 point avoir sans cesse devant moi un espion de mes affaires, un traître, dont les yeux maudits assiègent[1] toutes mes actions, dévorent ce que je possède, et furètent de tous côtés pour voir s'il n'y a rien à voler.

LA FLÈCHE : Comment diantre[2] voulez-vous qu'on fasse 225 pour vous voler ? Êtes-vous un homme volable, quand vous renfermez toutes choses, et faites sentinelle jour et nuit ?

HARPAGON : Je veux renfermer ce que bon me semble, et faire sentinelle comme il me plaît. Ne voilà pas de mes mouchards[3], qui prennent garde à ce qu'on fait ? (*À part.*) Je 230 tremble qu'il n'ait soupçonné quelque chose de mon argent. (*Haut.*) Ne serais-tu point homme à aller faire courir le bruit que j'ai chez moi de l'argent caché ?

LA FLÈCHE : Vous avez de l'argent caché ?

HARPAGON : Non, coquin[4], je ne dis pas cela. (*À part.*) J'en- 235 rage. (*Haut.*) Je demande si malicieusement[5] tu n'irais point faire courir le bruit que j'en ai.

LA FLÈCHE : Hé ! que nous importe que vous en ayez ou que vous n'en ayez pas, si c'est pour nous la même chose ?

1 *assiègent* : surveillent.
2 *diantre* : diable.
3 *mouchards* : délateurs, espions.
4 *coquin* : au XVIIe siècle, terme injurieux.
5 *malicieusement* : méchamment.

HARPAGON : Tu fais le raisonneur. Je te baillerai[1] de ce
240 raisonnement-ci par les oreilles. (*Il lève la main pour lui donner un soufflet*[2].) Sors d'ici, encore une fois.

LA FLÈCHE : Hé bien ! je sors.

HARPAGON : Attends. Ne m'emportes-tu rien ?

LA FLÈCHE : Que vous emporterais-je ?

245 HARPAGON : Viens çà[3], que je voie. Montre-moi tes mains.

LA FLÈCHE : Les voilà.

HARPAGON : Les autres.

LA FLÈCHE : Les autres ?

HARPAGON : Oui.

250 LA FLÈCHE : Les voilà.

HARPAGON, *montrant les hauts-de-chausses de La Flèche* : N'as-tu rien mis ici dedans ?

LA FLÈCHE : Voyez vous-même.

HARPAGON. *Il tâte le bas de ses chausses* : Ces grands hauts-
255 de-chausses[4] sont propres à devenir les receleurs[5] des choses qu'on dérobe; et je voudrais qu'on en eût fait pendre quelqu'un[6].

LA FLÈCHE, *à part* : Ah ! qu'un homme comme cela mériterait bien ce qu'il craint ! et que j'aurais de joie à le voler !

---

1 *baillerai* : donnerai.

2 *soufflet* : gifle.

3 *çà* : ici.

4 *chausses* : culottes pour homme ; *hauts-de-chausses* : culottes pour homme, s'arrêtant aux genoux et bouffantes à l'époque de Molière.

5 *receleurs* : personnes qui cachent des objets volés.

6 Molière joue sur l'ambiguïté : «pendre un de ces hauts-de-chausses» ou «pendre un de ces receleurs».

Harpagon (Jean Gascon) : Les autres.
La Flèche (Robert Gadouas) : Les autres ?
Harpagon : Oui.
La Flèche : Les voilà.

Acte I, scène 3, lignes 247 à 250.

Théâtre du Nouveau Monde, 1951.
Mise en scène de Jean Gascon.

La Flèche (Robert Gadouas) : Voyez vous-même.
Harpagon (Jean Gascon). *Il tâte le bas de ses chausses* : Ces grands hauts-de-chausses sont propres à devenir les receleurs des choses qu'on dérobe […]

Acte i, scène 3, lignes 253 à 256.

Théâtre du Nouveau Monde, 1951.
Mise en scène de Jean Gascon.

260 **Harpagon** : Euh ?

La Flèche : Quoi ?

Harpagon : Qu'est-ce que tu parles de voler ?

La Flèche : Je dis que vous fouillez bien partout, pour voir si je vous ai volé.

265 **Harpagon** : C'est ce que je veux faire.

Il fouille dans les poches de La Flèche.

La Flèche, *à part* : La peste soit de l'avarice et des avaricieux !

Harpagon : Comment ? que dis-tu ?

270 **La Flèche** : Ce que je dis ?

Harpagon : Oui : qu'est-ce que tu dis d'avarice et d'avaricieux ?

La Flèche : Je dis que la peste soit de l'avarice et des avaricieux.

275 **Harpagon** : De qui veux-tu parler ?

La Flèche : Des avaricieux.

Harpagon : Et qui sont-ils ces avaricieux ?

La Flèche : Des vilains[1] et des ladres[2].

Harpagon : Mais qui est-ce que tu entends par là ?

280 **La Flèche** : De quoi vous mettez-vous en peine ?

Harpagon : Je me mets en peine de ce qu'il faut.

1 *vilains* : avares.

2 *ladres* : avares.

LA FLÈCHE : Est-ce que vous croyez que je veux parler de vous ?

HARPAGON : Je crois ce que je crois ; mais je veux que tu me
85 dises à qui tu parles quand tu dis cela.

LA FLÈCHE : Je parle… je parle à mon bonnet[1].

HARPAGON : Et moi, je pourrais bien parler à ta barrette[2].

LA FLÈCHE : M'empêcherez-vous de maudire les avaricieux ?

HARPAGON : Non ; mais je t'empêcherai de jaser, et d'être
90 insolent. Tais-toi.

LA FLÈCHE : Je ne nomme personne.

HARPAGON : Je te rosserai[3], si tu parles.

LA FLÈCHE : Qui se sent morveux, qu'il se mouche[4].

HARPAGON : Te tairas-tu ?

95 LA FLÈCHE : Oui, malgré moi.

HARPAGON : Ha ! ha !

LA FLÈCHE, *lui montrant une des poches de son justaucorps*[5] : Tenez, voilà encore une poche ; êtes-vous satisfait ?

HARPAGON : Allons, rends-le-moi sans te fouiller[6].

100 LA FLÈCHE : Quoi ?

HARPAGON : Ce que tu m'as pris.

1 *je parle à mon bonnet* : je me parle.
2 *barrette* : bonnet porté par les laquais. L'expression *parler à la barrette de quelqu'un* signifie faire tomber son chapeau sous les coups.
3 *rosserai* : battrai.
4 *Qui se sent morveux, qu'il se mouche* : que celui qui se sent visé le prenne pour lui.
5 *justaucorps* : veste ajustée (juste au corps) qui descendait jusqu'aux genoux en s'évasant.
6 *sans te fouiller* : sans que je te fouille.

LA FLÈCHE : Je ne vous ai rien pris du tout.

HARPAGON : Assurément ?

LA FLÈCHE : Assurément.

305 HARPAGON : Adieux, va-t'en à tous les diables.

LA FLÈCHE, *à part* : Me voilà fort bien congédié.

HARPAGON : Je te le mets sur ta conscience, au moins[1]. (*Seul.*) Voilà un pendard de valet qui m'incommode fort, et je ne me plais point à voir ce chien de boiteux-là[2].

SCÈNE 4 : ÉLISE, CLÉANTE, HARPAGON

310 HARPAGON : Certes ce n'est pas une petite peine que de garder chez soi une grande somme d'argent ; et bienheureux qui a tout son fait[3] bien placé, et ne conserve seulement que ce qu'il faut pour sa dépense. On n'est pas peu embarrassé à inventer dans toute une maison une cache fidèle[4] ; car pour 315 moi, les coffres-forts me sont suspects, et je ne veux jamais m'y fier : je les tiens justement une franche amorce à voleurs, et c'est toujours la première chose que l'on va attaquer. (*Harpagon se croyant seul.*) Cependant je ne sais si j'aurai bien fait d'avoir enterré dans mon jardin dix mille écus[5] 320 qu'on me rendit hier. Dix mille écus en or chez soi est une somme assez…

1 *au moins* : évidemment.

2 Allusion au fait que Louis Béjart, qui jouait le rôle de La Flèche lors de la création de la pièce, boitait.

3 *son fait* : son argent, sa fortune.

4 *à inventer […] une cache fidèle* : pour trouver […] une cachette sûre.

5 L'écu est une ancienne monnaie française. L'écu d'or valait 10 livres ou francs. Ainsi, 10 000 écus (environ 600 000 FF actuels ou 140 000 $) est une somme considérable.

Ici le frère et la sœur paraissent s'entretenant bas.

Ô Ciel ! je me serai trahi moi-même : la chaleur[1] m'aura emporté, et je crois que j'ai parlé haut en raisonnant tout 25 seul. (*À Cléante et à Élise.*) Qu'est-ce ?

Cléante : Rien, mon père.

Harpagon : Y a-t-il longtemps que vous êtes là ?

Élise : Nous ne venons que d'arriver.

Harpagon : Vous avez entendu…

30 **Cléante** : Quoi, mon père ?

Harpagon : Là…

Élise : Quoi ?

Harpagon : Ce que je viens de dire.

Cléante : Non.

35 **Harpagon** : Si fait, si fait.

Élise : Pardonnez-moi.

Harpagon : Je vois bien que vous en avez ouï[§] quelques mots. C'est que je m'entretenais en moi-même de la peine qu'il y a aujourd'hui à trouver de l'argent, et je disais qu'il 40 est bienheureux qui peut avoir dix mille écus[§] chez soi.

Cléante : Nous feignions[2] à vous aborder, de peur de vous interrompre.

Harpagon : Je suis bien aise de vous dire cela, afin que vous n'alliez pas prendre les choses de travers et vous imaginer 45 que je dise que c'est moi qui ai dix mille écus.

1 *chaleur* : passion.
2 *feignions* : hésitions.

CLÉANTE : Nous n'entrons point dans vos affaires.

HARPAGON : Plût à Dieu que je les eusse, dix mille écus[§] !

CLÉANTE : Je ne crois pas…

HARPAGON : Ce serait une bonne affaire pour moi.

350 ÉLISE : Ce sont des choses…

HARPAGON : J'en aurais bon besoin.

CLÉANTE : Je pense que…

HARPAGON : Cela m'accommoderait fort[1].

ÉLISE : Vous êtes…

355 HARPAGON : Et je ne me plaindrais pas, comme je fais, que le temps est misérable.

1

CLÉANTE : Mon Dieu ! mon père, vous n'avez pas lieu de vous plaindre, et l'on sait que vous avez assez de bien.

HARPAGON : Comment ? j'ai assez de bien ! Ceux qui le disent 360 en ont menti. Il n'y a rien de plus faux; et ce sont des coquins[§] qui font courir tous ces bruits-là.

ÉLISE : Ne vous mettez point en colère.

HARPAGON : Cela est étrange, que mes propres enfants me trahissent et deviennent mes ennemis !

365 CLÉANTE : Est-ce être votre ennemi que de dire que vous avez du bien !

HARPAGON : Oui, de pareils discours et les dépenses que vous faites seront cause qu'un de ces jours on me viendra

1 *m'accommoderait fort* : m'arrangerait bien.

chez moi couper la gorge[1], dans la pensée que je suis tout cousu de pistoles[2].

CLÉANTE : Quelle grande dépense est-ce que je fais ?

HARPAGON : Quelle ? Est-il rien de plus scandaleux que ce somptueux équipage[3] que vous promenez par la ville ? Je querellais hier votre sœur ; mais c'est encore pis. Voilà qui crie vengeance au Ciel ; et à vous prendre depuis les pieds jusqu'à la tête, il y aurait là de quoi faire une bonne constitution[4]. Je vous l'ai dit vingt fois, mon fils, toutes vos manières me déplaisent fort : vous donnez furieusement dans le marquis[5] ; et pour aller ainsi vêtu, il faut bien que vous me dérobiez.

CLÉANTE : Hé ! comment vous dérober ?

HARPAGON : Que sais-je ? Où pouvez-vous donc prendre de quoi entretenir l'état[6] que vous portez ?

CLÉANTE : Moi, mon père ? C'est que je joue[7] ; et comme je suis fort heureux, je mets sur moi tout l'argent que je gagne.

HARPAGON : C'est fort mal fait. Si vous êtes heureux au jeu, vous en devriez profiter, et mettre à honnête intérêt l'argent que vous gagnez afin de le trouver un jour. Je voudrais bien savoir, sans parler du reste, à quoi servent tous ces rubans dont vous voilà lardé[8] depuis les pieds jusqu'à la tête, et si

1 Allusion à l'assassinat de deux avares notoires, Jacques Tardieu et sa femme, le 24 août 1665. L'affaire fit grand bruit.

2 La pistole est une ancienne monnaie espagnole. L'expression viendrait de ce que les avares avaient la réputation de coudre des pièces dans la doublure de leurs vêtements.

3 *équipage* : habillement.

4 *constitution* : placement d'argent.

5 *donnez furieusement dans le marquis* : menez avec excès le train de vie des nobles.

6 *état* : habillement.

7 À cette époque à Paris, le jeu était très à la mode.

8 *lardé* : couvert.

une demi-douzaine d'aiguillettes[1] ne suffit pas pour attacher un haut-de-chausses[§] ? Il est bien nécessaire d'employer de l'argent à des perruques, lorsque l'on peut porter des cheveux de son cru, qui ne coûtent rien. Je vais gager qu'en
395 perruques et rubans, il y a du moins vingt pistoles ; et vingt pistoles rapportent par année dix-huit livres six sols huit deniers[2], à ne les placer qu'au denier douze[3].

Cléante : Vous avez raison.

Harpagon : Laissons cela, et parlons d'autre affaire.
400 (*Apercevant Cléante et Élise qui se font des signes.*) Euh ? (*Bas, à part.*) Je crois qu'ils se font signe l'un à l'autre de me voler ma bourse. (*Haut.*) Que veulent dire ces gestes-là ?

1 **Élise** : Nous marchandons[4], mon frère et moi, à qui parlera le premier ; et nous avons tous deux quelque chose à vous
405 dire.

Harpagon : Et moi, j'ai quelque chose aussi à vous dire à tous deux.

Cléante : C'est de mariage, mon père, que nous désirons vous parler.

410 **Harpagon** : Et c'est de mariage aussi que je veux vous entretenir.

Élise : Ah ! mon père !

Harpagon : Pourquoi ce cri ? Est-ce le mot, ma fille, ou la chose, qui vous fait peur ?

---

1 *aiguillettes* : lacets (voir la photo, p. 105) qui permettent d'attacher le haut-de-chausses (culotte) au pourpoint (veste). La mode commandait de les remplacer par des rubans.

2 La pistole vaut 11 livres ou francs ; une livre, 20 sols ; un sol, 12 deniers. Ainsi, 220 livres ou francs valent environ 4 400 FF actuels ou 1 000 $.

3 Un intérêt d'un denier douze équivaut à 8,3 % (1/12). Le taux légal était de 5 %.

4 *marchandons* : hésitons.

15 CLÉANTE : Le mariage peut nous faire peur à tous deux, de la façon que vous pouvez l'entendre[1] ; et nous craignons que nos sentiments ne soient pas d'accord avec votre choix.

HARPAGON : Un peu de patience. Ne vous alarmez point. Je sais ce qu'il faut à tous deux; et vous n'aurez ni l'un ni 20 l'autre aucun lieu de vous plaindre de tout ce que je prétends faire. Et pour commencer par un bout : (*à Cléante*) avez-vous vu, dites-moi, une jeune personne appelée Mariane, qui ne loge pas loin d'ici ?

CLÉANTE : Oui, mon père.

25 HARPAGON, *à Élise* : Et vous ?

ÉLISE : J'en ai ouï[§] parler.

HARPAGON : Comment, mon fils, trouvez-vous cette fille ?

CLÉANTE : Une fort charmante personne.

HARPAGON : Sa physionomie ?

30 CLÉANTE : Tout honnête, et pleine d'esprit.

HARPAGON : Son air et sa manière ?

CLÉANTE : Admirables, sans doute[2].

HARPAGON : Ne croyez-vous pas qu'une fille comme cela mériterait assez que l'on songeât à elle ?

35 CLÉANTE : Oui, mon père.

HARPAGON : Que ce serait un parti souhaitable ?

CLÉANTE : Très souhaitable.

HARPAGON : Qu'elle a toute la mine de faire un bon ménage ?

1 *entendre* : envisager.
2 *sans doute* : sans aucun doute.

CLÉANTE : Sans doute§.

440 HARPAGON : Et qu'un mari aurait satisfaction avec elle ?

CLÉANTE : Assurément.

HARPAGON : Il y a une petite difficulté : c'est que j'ai peur qu'il n'y ait pas avec elle tout le bien qu'on pourrait prétendre.

445 CLÉANTE : Ah ! mon père, le bien n'est pas considérable[1], lorsqu'il est question d'épouser une honnête personne.

HARPAGON : Pardonnez-moi, pardonnez-moi. Mais ce qu'il y a à dire, c'est que si l'on n'y trouve pas tout le bien qu'on souhaite, on peut tâcher de regagner cela sur autre chose.

450 CLÉANTE : Cela s'entend[2].

1

HARPAGON : Enfin je suis bien aise de vous voir dans mes sentiments ; car son maintien honnête et sa douceur m'ont gagné l'âme, et je suis résolu de l'épouser, pourvu que j'y trouve quelque bien.

455 CLÉANTE : Euh ?

HARPAGON : Comment ?

CLÉANTE : Vous êtes résolu, dites-vous... ?

HARPAGON : D'épouser Mariane.

CLÉANTE : Qui, vous ? vous ?

460 HARPAGON : Oui, moi, moi, moi. Que veut dire cela ?

CLÉANTE : Il m'a pris tout à coup un éblouissement, et je me retire d'ici.

---

1 *considérable* : important.

2 *s'entend* : va de soi.

HARPAGON : Cela ne sera rien. Allez vite boire dans la cuisine un grand verre d'eau claire. Voilà de mes damoiseaux
465 flouets[1], qui n'ont non[2] plus de vigueur que des poules. C'est là, ma fille, ce que j'ai résolu pour moi. Quant à ton frère, je lui destine une certaine veuve dont ce matin on m'est venu parler ; et pour toi, je te donne au seigneur[3] Anselme.

ÉLISE : Au seigneur Anselme ?

470 HARPAGON : Oui, un homme mûr, prudent et sage, qui n'a pas plus de cinquante ans, et dont on vante les grands biens.

ÉLISE. *Elle fait une révérence* : Je ne veux point me marier, mon père, s'il vous plaît.

HARPAGON. *Il contrefait la révérence* : Et moi, ma petite fille
475 ma mie, je veux que vous vous mariiez, s'il vous plaît.

ÉLISE, *faisant encore la révérence* : Je vous demande pardon, mon père.

HARPAGON, *contrefaisant Élise* : Je vous demande pardon, ma fille.

480 ÉLISE : Je suis très humble servante au seigneur Anselme ; mais (*faisant encore la révérence*), avec votre permission, je ne l'épouserai point.

HARPAGON : Je suis votre très humble valet ; mais (*contrefaisant Élise*), avec votre permission, vous l'épouserez dès
485 ce soir.

ÉLISE : Dès ce soir ?

HARPAGON : Dès ce soir.

1 *damoiseaux flouets* : jeunes gens élégants et fragiles.
2 *non* : pas.
3 *seigneur* : monsieur (sans référence à la noblesse).

ÉLISE, *faisant encore la révérence* : Cela ne sera pas, mon père.

HARPAGON, *contrefaisant encore Élise* : Cela sera, ma fille.

490 ÉLISE : Non.

HARPAGON : Si.

ÉLISE : Non, vous dis-je.

HARPAGON : Si, vous dis-je.

ÉLISE : C'est une chose où vous ne me réduirez point.

495 HARPAGON : C'est une chose où je te réduirai.

ÉLISE : Je me tuerai plutôt que d'épouser un tel mari.

HARPAGON : Tu ne te tueras point, et tu l'épouseras. Mais voyez quelle audace ! A-t-on jamais vu une fille parler de la sorte à son père ?

1

500 ÉLISE : Mais a-t-on jamais vu un père marier sa fille de la sorte ?

HARPAGON : C'est un parti où il n'y a rien à redire ; et je gage que tout le monde approuvera mon choix.

ÉLISE : Et moi, je gage qu'il ne saurait être approuvé d'au-
505 cune personne raisonnable.

HARPAGON, *apercevant Valère de loin* : Voilà Valère : veux-tu qu'entre nous deux nous le fassions juge de cette affaire ?

ÉLISE : J'y consens.

HARPAGON : Te rendras-tu à son jugement ?

510 ÉLISE : Oui, j'en passerai par ce qu'il dira.

HARPAGON : Voilà qui est fait.

SCÈNE 5 : VALÈRE, HARPAGON, ÉLISE

HARPAGON : Ici, Valère. Nous t'avons élu pour nous dire qui a raison, de ma fille ou de moi.

VALÈRE : C'est vous, Monsieur, sans contredit.

15 HARPAGON : Sais-tu bien de quoi nous parlons ?

VALÈRE : Non, mais vous ne sauriez avoir tort, et vous êtes toute raison.

HARPAGON : Je veux ce soir lui donner pour époux un homme aussi riche que sage ; et la coquine§ me dit au nez
20 qu'elle se moque de le prendre[1]. Que dis-tu de cela ?

VALÈRE : Ce que j'en dis ?

HARPAGON : Oui.

VALÈRE : Eh, eh.

HARPAGON : Quoi ?

25 VALÈRE : Je dis que dans le fond je suis de votre sentiment ; et vous ne pouvez pas que vous n'ayez raison[2]. Mais aussi n'a-t-elle pas tort tout à fait, et…

HARPAGON : Comment ? le seigneur§ Anselme est un parti considérable, c'est un gentilhomme qui est noble[3], doux, posé,
30 sage, et fort accommodé§, et auquel il ne reste aucun enfant de son premier mariage. Saurait-elle mieux rencontrer ?

VALÈRE : Cela est vrai. Mais elle pourrait vous dire que c'est un peu précipiter les choses, et qu'il faudrait au moins

1 *se moque de le prendre* : n'a pas l'intention de l'épouser.

2 *que vous n'ayez raison* : avoir tort.

3 Un gentilhomme est toujours noble. Trait de satire contre ceux qui usurpaient des titres de noblesse.

quelque temps pour voir si son inclination pourra s'accom-
535 moder avec…

Harpagon : C'est une occasion qu'il faut prendre vite aux cheveux. Je trouve ici un avantage qu'ailleurs je ne trouverais pas, et il s'engage à la prendre sans dot[1].

Valère : Sans dot ?

540 **Harpagon** : Oui.

Valère : Ah ! je ne dis plus rien. Voyez-vous ? voilà une raison tout à fait convaincante ; il se faut rendre à cela.

Harpagon : C'est pour moi une épargne considérable.

Valère : Assurément, cela ne reçoit point[2] de contradiction.
545 Il est vrai que votre fille vous peut représenter[3] que le mariage est une plus grande affaire qu'on ne peut croire ; qu'il y va d'être heureux ou malheureux toute sa vie ; et qu'un engagement qui doit durer jusqu'à la mort[4] ne se doit jamais faire qu'avec de grandes précautions.

550 **Harpagon** : Sans dot.

Valère : Vous avez raison : voilà qui décide tout, cela s'entend[§]. Il y a des gens qui pourraient vous dire qu'en de telles occasions l'inclination d'une fille est une chose sans doute[§] où l'on doit avoir de l'égard[5] ; et que cette grande inégalité
555 d'âge, d'humeur et de sentiments, rend un mariage sujet à des accidents très fâcheux.

Harpagon : Sans dot.

1 *dot* : somme d'argent que fournissaient traditionnellement les parents de la future mariée.
2 *ne reçoit point* : n'admet pas.
3 *vous peut représenter* : peut vous objecter.
4 Le divorce était interdit : l'Église permettait une « séparation de corps » et l'État, une « séparation de biens ».
5 *où l'on doit avoir de l'égard* : que l'on doit prendre en considération.

© Robert Laliberté.

Harpagon (Luc Durand) : Sans dot.
Valère (Gabriel Sabourin) : Vous avez raison : voilà qui décide tout, cela s'entend.
Élise (Annick Bergeron).

Acte I, scène 5, lignes 550 à 552.

Théâtre ProFusion inc., 1995.
Mise en scène de Luc Durand.

VALÈRE : Ah ! il n'y a pas de réplique à cela : on le sait bien ; qui diantre§ peut aller là contre ? Ce n'est pas qu'il n'y ait
560 quantité de pères qui aimeraient mieux ménager la satisfaction de leurs filles que l'argent qu'ils pourraient donner[1] ; qui ne les voudraient point sacrifier à l'intérêt, et chercheraient plus que toute autre chose à mettre dans un mariage cette douce conformité qui sans cesse y maintient
565 l'honneur, la tranquillité et la joie, et que…

HARPAGON : Sans dot.

VALÈRE : Il est vrai : cela ferme la bouche à tout, *sans dot*. Le moyen de résister à une raison comme celle-là ?

HARPAGON. *Il regarde vers le jardin* : Ouais ! il me semble
570 que j'entends un chien qui aboie. N'est-ce point qu'on en voudrait à mon argent ? (*À Valère.*) Ne bougez, je reviens tout à l'heure§. (*Il sort.*)

ÉLISE : Vous moquez-vous, Valère, de lui parler comme vous faites ?

575 VALÈRE : C'est pour ne point l'aigrir, et pour en venir mieux à bout. Heurter de front ses sentiments est le moyen de tout gâter ; et il y a de certains esprits qu'il ne faut prendre qu'en biaisant[2], des tempéraments ennemis de toute résistance, des naturels rétifs[3], que la vérité fait cabrer, qui toujours se
580 roidissent contre le droit chemin de la raison, et qu'on ne mène qu'en tournant[4] où l'on veut les conduire. Faites semblant de consentir à ce qu'il veut, vous en viendrez mieux à vos fins, et…

ÉLISE : Mais ce mariage, Valère ?

---

1 *aimeraient mieux ménager la satisfaction de leurs filles que l'argent qu'ils pourraient donner* : préféreraient le bonheur de leurs filles à l'argent économisé.

2 *biaisant* : rusant.

3 *naturels rétifs* : caractères difficiles à convaincre (terme d'équitation).

4 *qu'en tournant* : que par des voies détournées (terme d'équitation).

Valère : On cherchera des biais[1] pour le rompre.

Élise : Mais quelle invention trouver, s'il se doit conclure ce soir ?

Valère : Il faut demander un délai, et feindre quelque maladie.

Élise : Mais on découvrira la feinte, si l'on appelle des médecins.

Valère : Vous moquez-vous ? Y connaissent-ils quelque chose ? Allez, allez, vous pourrez avec eux avoir quel mal il vous plaira[2], ils vous trouveront des raisons pour vous dire d'où cela vient.

Harpagon, *à part, dans le fond du théâtre* : Ce n'est rien, Dieu merci.

Valère, *sans voir Harpagon* : Enfin notre dernier recours, c'est que la fuite nous peut mettre à couvert de tout ; et si votre amour, belle Élise, est capable d'une fermeté… (*Il aperçoit Harpagon.*) Oui, il faut qu'une fille obéisse à son père. Il ne faut point qu'elle regarde comme[§] un mari est fait, et lorsque la grande raison de *sans dot* s'y rencontre, elle doit être prête à prendre tout ce qu'on lui donne.

Harpagon : Bon. Voilà bien parlé, cela.

Valère : Monsieur, je vous demande pardon si je m'emporte un peu et prends la hardiesse de lui parler comme je fais.

Harpagon : Comment ? j'en suis ravi, et je veux que tu prennes sur elle un pouvoir absolu. (*À Élise.*) Oui, tu as beau fuir. Je lui donne l'autorité que le Ciel me donne sur toi, et j'entends que tu fasses tout ce qu'il te dira.

1 *biais* : moyens détournés.

2 *quel mal il vous plaira* : la maladie de votre choix.

Valère, *à Élise*: Après cela, résistez à mes remontrances. Monsieur, je vais la suivre, pour lui continuer les leçons que je lui faisais.

615 **Harpagon** : Oui, tu m'obligeras. Certes…

Valère : Il est bon de lui tenir un peu la bride haute[1].

Harpagon : Cela est vrai. Il faut…

Valère : Ne vous mettez pas en peine. Je crois que j'en viendrai à bout.

620 **Harpagon** : Fais, fais. Je m'en vais faire un petit tour en ville, et reviens tout à l'heure[§].

Valère, *adressant la parole à Élise, en s'en allant du côté par où elle est sortie* : Oui, l'argent est plus précieux que toutes les choses du monde, et vous devez rendre grâces au Ciel de
625 l'honnête homme de père qu'il vous a donné. Il sait ce que c'est que de vivre. Lorsqu'on s'offre de prendre une fille sans dot, on ne doit point regarder plus avant. Tout est renfermé là-dedans, et *sans dot* tient lieu de beauté, de jeunesse, de naissance, d'honneur, de sagesse et de probité.

630 **Harpagon**, *seul* : Ah ! le brave garçon ! Voilà parlé comme un oracle[2]. Heureux qui peut avoir un domestique de la sorte !

1 *lui tenir un peu la bride haute* : ne pas lui laisser trop de liberté (terme d'équitation).

2 *oracle* : personne considérée infaillible.

SCÈNE 1 : CLÉANTE, LA FLÈCHE

CLÉANTE : Ah ! traître que tu es, où t'es-tu donc allé fourrer ? Ne t'avais-je pas donné ordre…

535 LA FLÈCHE : Oui, Monsieur, et je m'étais rendu ici pour vous attendre de pied ferme ; mais Monsieur votre père, le plus malgracieux des hommes, m'a chassé dehors malgré moi, et j'ai couru risque d'être battu.

CLÉANTE : Comment va notre affaire ? Les choses pressent 540 plus que jamais ; et depuis que je ne t'ai vu, j'ai découvert que mon père est mon rival.

LA FLÈCHE : Votre père amoureux ?

CLÉANTE : Oui ; et j'ai eu toutes les peines du monde à lui cacher le trouble où cette nouvelle m'a mis.

545 LA FLÈCHE : Lui se mêler d'aimer ! De quoi diable s'avise-t-il ? Se moque-t-il du monde ? Et l'amour a-t-il été fait pour des gens bâtis comme lui ?

CLÉANTE : Il a fallu, pour mes péchés[1], que cette passion lui soit venue en tête.

550 LA FLÈCHE : Mais par quelle raison lui faire un mystère de votre amour ?

CLÉANTE : Pour lui donner moins de soupçon, et me conserver au besoin des ouvertures[2] plus aisées pour détourner ce mariage. Quelle réponse t'a-t-on faite ?

1 *pour mes péchés* : en punition de mes fautes, pour mon malheur.
2 *ouvertures* : moyens d'action.

655 **La Flèche** : Ma foi ! Monsieur, ceux qui empruntent sont bien malheureux ; et il faut essuyer[1] d'étranges choses lorsqu'on en est réduit à passer, comme vous, par les mains des fesse-mathieux[2].

Cléante : L'affaire ne se fera point ?

660 **La Flèche** : Pardonnez-moi. Notre maître Simon, le courtier[§] qu'on nous a donné, homme agissant et plein de zèle, dit qu'il a fait rage[3] pour vous ; et il assure que votre seule physionomie lui a gagné le cœur.

Cléante : J'aurai les quinze mille francs que je demande ?

665 **La Flèche** : Oui ; mais à quelques petites conditions, qu'il faudra que vous acceptiez, si vous avez dessein que les choses se fassent.

Cléante : T'a-t-il fait parler à celui qui doit prêter l'argent ?

La Flèche : Ah ! vraiment, cela ne va pas de la sorte. Il 670 apporte encore plus de soin à se cacher que vous, et ce sont des mystères bien plus grands que vous ne pensez. On ne veut point du tout dire son nom, et l'on doit aujourd'hui l'aboucher[4] avec vous, dans une maison empruntée, pour être instruit, par votre bouche, de votre bien et de votre 675 famille ; et je ne doute point que le seul nom de votre père ne rende les choses faciles.

Cléante : Et principalement notre mère étant morte, dont on ne peut m'ôter le bien[5].

---

1 *essuyer* : endurer.

2 *fesse-mathieux* : usuriers (qui prêtent à un taux supérieur au taux légal).

3 *a fait rage* : s'est donné beaucoup de mal.

4 *aboucher* : mettre en contact.

5 Les enfants héritaient des biens de leur mère, et leur père ne faisait que les gérer en attendant leur majorité.

LA FLÈCHE : Voici quelques articles qu'il a dictés lui-même à
80 notre entremetteur[1], pour vous être montrés, avant que de rien faire[2] :

Supposé que le prêteur voie toutes ses sûretés[3], *et que l'emprunteur soit majeur, et d'une famille où le bien soit ample, solide, assuré, clair, et net de tout embarras*[4], *on fera une*
85 *bonne et exacte obligation*[5] *par-devant un notaire, le plus honnête homme qu'il se pourra, et qui, pour cet effet, sera choisi par le prêteur, auquel il importe le plus que l'acte soit dûment dressé.*

CLÉANTE : Il n'y a rien à dire à cela.

90 LA FLÈCHE : *Le prêteur, pour ne charger sa conscience d'aucun scrupule, prétend ne donner son argent qu'au denier dix-huit*[6].

CLÉANTE : Au denier dix-huit ? Parbleu ! voilà qui est honnête. Il n'y a pas lieu de se plaindre.

LA FLÈCHE : Cela est vrai.

95 *Mais comme ledit prêteur n'a pas chez lui la somme dont il est question, et que pour faire plaisir à l'emprunteur, il est contraint lui-même de l'emprunter d'un autre, sur le pied du denier cinq*[7], *il conviendra que ledit premier emprunteur paye cet intérêt, sans préjudice du reste*[8], *attendu que ce n'est que*
100 *pour l'obliger*[9] *que ledit prêteur s'engage à cet emprunt.*

1 *entremetteur* : intermédiaire, ici le courtier.
2 *avant que de rien faire* : avant de faire quoi que ce soit.
3 *voie toutes ses sûretés* : ait toutes les garanties de remboursement.
4 *embarras* : dette.
5 *obligation* : reconnaissance de dette.
6 Taux d'intérêt de 5,5 % (1/18), légèrement supérieur au taux légal de 5 %.
7 Taux d'intérêt de 20 % (1/5).
8 L'emprunteur assume donc les deux taux (20 % + 5,5 %).
9 *l'obliger* : lui rendre service.

Cléante : Comment diable ! quel Juif, quel Arabe[1] est-ce là ? C'est plus qu'au denier quatre[2].

La Flèche : Il est vrai ; c'est ce que j'ai dit. Vous avez à voir[3] là-dessus.

705 **Cléante** : Que veux-tu que je voie ? J'ai besoin d'argent ; et il faut bien que je consente à tout.

La Flèche : C'est la réponse que j'ai faite.

Cléante : Il y a encore quelque chose ?

La Flèche : Ce n'est plus qu'un petit article.

710 *Des quinze mille francs qu'on demande, le prêteur ne pourra compter en argent que douze mille livres, et pour les mille écus*[4] *restants, il faudra que l'emprunteur prenne les hardes, nippes*[5], *et bijoux dont s'ensuit le mémoire*[6], *et que ledit prêteur a mis, de bonne foi, au plus modique prix qu'il lui a été possible.*

715 **Cléante** : Que veut dire cela ?

La Flèche : Écoutez le mémoire.

Premièrement, un lit de quatre pieds[7], *à bandes de points de Hongrie*[8], *appliquées fort proprement*[9] *sur un drap de couleur d'olive, avec six chaises et la courtepointe*[10] *de même ; le tout*

1 *quel Juif, quel Arabe* : insulte. À l'époque, les non-chrétiens étaient considérés comme des barbares.
2 Taux d'intérêt de 25 % (1/4).
3 *voir* : réfléchir.
4 L'écu d'argent valait 3 livres ou francs. Selon le contrat, 3 000 francs ou livres sur les 15 000 (qui valent approximativement 300 000 FF actuels ou 70 000 $) sont prêtés sous forme de biens.
5 *hardes, nippes* : vêtements, mais aussi meubles (sans nuance péjorative).
6 *mémoire* : liste.
7 Environ 1,3 m. Il s'agit d'un lit d'enfant.
8 *bandes de points de Hongrie* : lisières de broderie.
9 *proprement* : élégamment.
10 *courtepointe* : couvre-lit piqué.

Cléante (Gabriel Gascon) : Que veut dire cela ?
La Flèche (Robert Gadouas) : Écoutez le mémoire.

Acte II, scène 1, lignes 715 et 716.

Théâtre du Nouveau Monde, 1951.
Mise en scène de Jean Gascon.

720 *bien conditionné*[1]*, et doublé d'un petit taffetas*[2] *changeant rouge et bleu.*
Plus, un pavillon à queue[3]*, d'une bonne serge*[4] *d'Aumale rose-sèche, avec le mollet*[5] *et les franges de soie.*

Cléante : Que veut-il que je fasse de cela ?

725 **La Flèche** : Attendez.

Plus, une tenture de tapisserie des amours de Gombaut et de Macée[6]*.*
Plus, une grande table de bois de noyer, à douze colonnes ou piliers tournés, qui se tire par les deux bouts, et garnie par le
730 *dessous de ses six escabelles*[7]*.*

Cléante : Qu'ai-je affaire, morbleu… ?

La Flèche : Donnez-vous[8] patience.

Plus, trois gros mousquets[9] *tout garnis de nacre de perles, avec les trois fourchettes*[10] *assortissantes.*
735 *Plus, un fourneau de brique, avec deux cornues*[11]*, et trois récipients, fort utiles à ceux qui sont curieux de distiller.*

Cléante : J'enrage.

1 *bien conditionné* : en bon état.
2 *taffetas* : étoffe de soie.
3 *pavillon à queue* : baldaquin d'un lit, en forme de tente ronde et suspendu au plafond, en usage pour les lits de valet.
4 *serge* : tissu de laine.
5 *mollet* : bande de quelques millimètres qui borde les tissus d'ameublement, ici du pavillon à queue.
6 *Gombaut, Macée* : personnages d'un roman pastoral à la mode vers 1600.
7 *escabelles* : tabourets de bois. Les pieds de table tournés et les escabelles ne sont plus à la mode en 1668.
8 *Donnez-vous* : prenez.
9 *mousquets* : armes à feu assez lourdes, passées de mode en 1668.
10 *fourchettes* : fourches plantées en terre qui permettaient de supporter le mousquet au moment de tirer.
11 *cornues* : récipients de verre à col allongé et recourbé.

La Flèche : Doucement.

Plus, un luth de Bologne, garni de toutes ses cordes, ou peu s'en
740 *faut.*
Plus, un trou-madame[1]*, et un damier, avec un jeu de l'oie renouvelé des Grecs*[2]*, fort propres à passer le temps lorsque l'on n'a que faire.*
Plus, une peau de lézard, de trois pieds et demi, remplie de foin,
745 *curiosité agréable pour pendre au plancher*[3] *d'une chambre.*
Le tout, ci-dessus mentionné, valant loyalement plus de quatre mille cinq cents livres, et rabaissé à la valeur de mille écus[§]*, par la discrétion*[4] *du prêteur.*

Cléante : Que la peste l'étouffe avec sa discrétion, le traître,
750 le bourreau qu'il est ! A-t-on jamais parlé d'une usure[5] semblable ? Et n'est-il pas content du furieux[6] intérêt qu'il exige, sans vouloir encore m'obliger à prendre, pour trois mille livres, les vieux rogatons[7] qu'il ramasse ? Je n'aurai pas deux cents écus de tout cela; et cependant il faut bien me
755 résoudre à consentir à ce qu'il veut, car il est en état de me faire tout accepter, et il me tient, le scélérat, le poignard sur la gorge.

La Flèche : Je vous vois, Monsieur, ne vous en déplaise, dans le grand chemin justement que tenait Panurge[8] pour se
760 ruiner, prenant argent d'avance, achetant cher, vendant à bon marché, et mangeant son blé en herbe[9].

1 trou-madame : sorte d'ancêtre du flipper actuel.
2 *jeu de l'oie renouvelé des Grecs* : jeu qui se joue avec des dés et une planche.
3 *plancher [de l'étage supérieur]* : plafond.
4 *discrétion* : modération.
5 *usure* : prêt à un taux supérieur au taux légal.
6 *furieux* : terrible.
7 *rogatons* : objets sans valeur.
8 *Panurge* : personnage de *Pantagruel* (1532), roman de François Rabelais.
9 *mangeant son blé en herbe* : dépensant son revenu avant même de l'obtenir.

Cléante : Que veux-tu que j'y fasse ? Voilà où les jeunes gens sont réduits par la maudite avarice des pères ; et on s'étonne après cela que les fils souhaitent qu'ils meurent.

La Flèche : Il faut avouer que le vôtre animerait contre sa vilanie[1] le plus posé homme du monde. Je n'ai pas, Dieu merci, les inclinations fort patibulaires[2] ; et parmi mes confrères que je vois se mêler de beaucoup de petits commerces, je sais tirer adroitement mon épingle du jeu, et me démêler prudemment de toutes les galanteries[3] qui sentent tant soit peu l'échelle[4] ; mais, à vous dire vrai, il me donnerait, par ses procédés, des tentations de le voler ; et je croirais, en le volant, faire une action méritoire.

Cléante : Donne-moi un peu ce mémoire[§], que je le voie encore.

SCÈNE 2 : Maître Simon, Harpagon, Cléante, La Flèche *dans le fond du théâtre.*

Maître Simon : Oui, Monsieur, c'est un jeune homme qui a besoin d'argent. Ses affaires le pressent d'en trouver, et il en passera par tout ce que vous en prescrirez.

Harpagon : Mais croyez-vous, maître Simon, qu'il n'y ait rien à péricliter[5] ? et savez-vous le nom, les biens et la famille de celui pour qui vous parlez ?

1 *vilanie* : avarice.
2 *les inclinations fort patibulaires* : envie d'être pendu.
3 *galanteries* : ici, ruses malhonnêtes (ironie).
4 *l'échelle*, sous-entendu « de la potence ».
5 *péricliter* : craindre.

Maître Simon : Non, je ne puis pas bien vous en instruire à fond, et ce n'est que par aventure[1] que l'on m'a adressé à lui ; mais vous serez de toutes choses éclairci par lui-même ; 85 et son homme m'a assuré que vous serez content, quand vous le connaîtrez. Tout ce que je saurais vous dire, c'est que sa famille est fort riche, qu'il n'a plus de mère déjà, et qu'il s'obligera[2], si vous voulez, que son père mourra avant qu'il soit huit mois.

90 **Harpagon** : C'est quelque chose que cela. La charité, maître Simon, nous oblige à faire plaisir aux personnes, lorsque nous le pouvons.

Maître Simon : Cela s'entend[§].

La Flèche, *bas, à Cléante, reconnaissant maître Simon* : Que 95 veut dire ceci ? Notre maître Simon qui parle à votre père.

Cléante, *bas, à La Flèche* : Lui aurait-on appris qui je suis ? et serais-tu pour nous trahir ?

Maître Simon, *à La Flèche* : Ah ! ah ! vous êtes bien pressés ! Qui vous a dit que c'était céans[3] ? (*À Harpagon.*) Ce n'est pas 100 moi, Monsieur, au moins[§], qui leur ai découvert votre nom et votre logis ; mais, à mon avis, il n'y a pas grand mal à cela. Ce sont des personnes discrètes, et vous pouvez ici vous expliquer ensemble.

Harpagon : Comment ?

105 **Maître Simon,** *montrant Cléante* : Monsieur est la personne qui veut vous emprunter les quinze mille livres dont je vous ai parlé.

Harpagon : Comment, pendard ? c'est toi qui t'abandonnes à ces coupables extrémités ?

1 aventure : hasard.
2 *s'obligera* : s'engagera légalement.
3 *céans* : dans la maison, ici.

810 **Cléante** : Comment, mon père ? c'est vous qui vous portez à ces honteuses actions ?

Maître Simon s'enfuit et La Flèche va se cacher.

Harpagon : C'est toi qui te veux ruiner par des emprunts si condamnables ?

815 **Cléante** : C'est vous qui cherchez à vous enrichir par des usures[§] si criminelles ?

Harpagon : Oses-tu bien, après cela, paraître devant moi !

Cléante : Osez-vous bien, après cela, vous présenter aux yeux du monde ?

820 **Harpagon** : N'as-tu point de honte, dis-moi, d'en venir à ces débauches-là ? de te précipiter dans des dépenses effroyables ? et de faire une honteuse dissipation du bien que tes parents t'ont amassé avec tant de sueurs ?

Cléante : Ne rougissez-vous point de déshonorer votre 825 condition[1] par les commerces que vous faites ? de sacrifier gloire[2] et réputation au désir insatiable d'entasser écu[§] sur écu, et de renchérir, en fait d'intérêts, sur les plus infâmes subtilités qu'aient jamais inventées les plus célèbres usuriers ?

Harpagon : Ôte-toi de mes yeux, coquin[§] ! ôte-toi de mes 830 yeux !

Cléante : Qui est plus criminel, à votre avis, ou celui qui achète un argent dont il a besoin, ou bien celui qui vole un argent dont il n'a que faire ?

---

1 *condition* : classe sociale.

2 *gloire* : honneur.

HARPAGON : Retire-toi, te dis-je, et ne m'échauffe pas les oreilles. (*Seul.*) Je ne suis pas fâché de cette aventure ; et ce m'est un avis de tenir l'œil, plus que jamais, sur toutes ses actions.

SCÈNE 3 : FROSINE, HARPAGON

FROSINE : Monsieur...

HARPAGON : Attendez un moment ; je vais revenir vous parler. (*À part.*) Il est à propos que je fasse un petit tour[1] à mon argent.

SCÈNE 4 : LA FLÈCHE, FROSINE

LA FLÈCHE, *sans voir Frosine* : L'aventure est tout à fait drôle. Il faut bien qu'il ait quelque part un ample magasin de hardes[§] ; car nous n'avons rien reconnu au mémoire[§] que nous avons.

FROSINE : Hé ! c'est toi, mon pauvre La Flèche ? D'où vient cette rencontre ?

LA FLÈCHE : Ah ! ah ! c'est toi, Frosine. Que viens-tu faire ici ?

FROSINE : Ce que je fais partout ailleurs : m'entremettre d'affaires[2], me rendre serviable aux gens, et profiter du mieux qu'il m'est possible des petits talents que je puis avoir.

1 *tour* : visite.

2 *m'entremettre d'affaires* : servir d'intermédiaire.

Tu sais que dans ce monde il faut vivre d'adresse, et qu'aux personnes comme moi le Ciel n'a donné d'autres rentes que l'intrigue et que l'industrie[1].

855 **La Flèche** : As-tu quelque négoce[2] avec le patron du logis ?

Frosine : Oui, je traite pour lui quelque petite affaire, dont j'espère une récompense.

La Flèche : De lui ? Ah, ma foi ! tu seras bien fine si tu en tires quelque chose ; et je te donne avis que l'argent céans[§]
860 est fort cher.

Frosine : Il y a de certains services qui touchent merveilleusement[3].

La Flèche : Je suis votre valet[4], et tu ne connais pas encore le seigneur[§] Harpagon. Le seigneur Harpagon est de tous les
865 humains l'humain le moins humain, le mortel de tous les mortels le plus dur et le plus serré. Il n'est point de service qui pousse sa reconnaissance jusqu'à lui faire ouvrir les mains. De la louange, de l'estime, de la bienveillance en paroles et de l'amitié tant qu'il vous plaira ; mais de l'argent,
870 point d'affaires. Il n'est rien de plus sec et de plus aride que ses bonnes grâces et ses caresses[5] ; et *donner* est un mot pour qui il a tant d'aversion[6], qu'il ne dit jamais : *Je vous donne*, mais : *Je vous prête le bonjour.*

1 *industrie* : ruse, habileté.
2 *négoce* : affaire.
3 *touchent merveilleusement* : rapportent beaucoup d'argent.
4 *Je suis votre valet* : pardonnez-moi (formule de politesse).
5 *caresses* : politesses.
6 *aversion* : dégoût.

Frosine (Sophie Clément) : Il y a de certains services qui touchent merveilleusement.
La Flèche (Robert Gadouas) : Je suis votre valet, et tu ne connais pas encore le seigneur Harpagon. Le seigneur Harpagon est de tous les humains l'humain le moins humain, le mortel de tous les mortels le plus dur et le plus serré.

Acte II, scène 4, lignes 861 à 866.

Théâtre du Nouveau Monde, 1985.
Mise en scène d'Olivier Reichenbach.

Frosine : Mon Dieu ! je sais l'art de traire[1] les hommes, j'ai
875 le secret de m'ouvrir leur tendresse, de chatouiller leurs cœurs, de trouver les endroits par où ils sont sensibles.

La Flèche : Bagatelles[2] ici. Je te défie d'attendrir, du côté de l'argent, l'homme dont il est question. Il est turc[3] là-dessus, mais d'une turquerie à désespérer tout le monde ; et l'on
880 pourrait crever, qu'il n'en branlerait[4] pas. En un mot, il aime l'argent, plus que réputation, qu'honneur et que vertu ; et la vue d'un demandeur lui donne des convulsions. C'est le frapper par son endroit mortel, c'est lui percer le cœur, c'est lui arracher les entrailles ; et si… Mais il revient ; je me retire.

SCÈNE 5 : Harpagon, Frosine

885 **Harpagon**, *bas, à part* : Tout va comme il faut. (*Haut.*) Hé bien ! qu'est-ce, Frosine ?

Frosine : Ah ! mon Dieu ! que vous vous portez bien ! et que vous avez là un vrai visage de santé !

Harpagon : Qui, moi ?

2 890 **Frosine** : Jamais je ne vous vis un teint si frais et si gaillard[5].

Harpagon : Tout de bon ?

Frosine : Comment ? vous n'avez de votre vie été si jeune que vous êtes ; et je vois des gens de vingt-cinq ans qui sont plus vieux que vous.

---

1 *traire* : soutirer de l'argent.
2 *Bagatelles* : paroles en l'air.
3 *turc* : insensible comme les Turcs, qui avaient la réputation d'être cruels.
4 *branlerait* : bougerait.
5 *gaillard* : en santé.

395 HARPAGON : Cependant, Frosine, j'en ai soixante bien comptés.

FROSINE : Hé bien ! qu'est-ce que cela, soixante ans ? Voilà bien de quoi[1] ! C'est la fleur de l'âge cela, et vous entrez maintenant dans la belle saison de l'homme.

400 HARPAGON : Il est vrai ; mais vingt années de moins pourtant ne me feraient point de mal, que je crois.

FROSINE : Vous moquez-vous ? Vous n'avez pas besoin de cela, et vous êtes d'une pâte à vivre jusques à cent ans.

HARPAGON : Tu le crois !

405 FROSINE : Assurément. Vous en avez toutes les marques. Tenez-vous un peu. Oh ! que voilà bien là, entre vos deux yeux, un signe de longue vie !

HARPAGON : Tu te connais à cela ?

FROSINE : Sans doute[§]. Montrez-moi votre main. Ah ! mon
410 Dieu ! quelle ligne de vie !

HARPAGON : Comment ?

FROSINE : Ne voyez-vous pas jusqu'où va cette ligne-là ?

HARPAGON : Hé bien ! qu'est-ce que cela veut dire ?

FROSINE : Par ma foi ! je disais cent ans ; mais vous passerez
415 les six-vingts[2].

HARPAGON : Est-il possible ?

FROSINE : Il faudra vous assommer, vous dis-je ; et vous mettrez en terre et vos enfants, et les enfants de vos enfants.

HARPAGON : Tant mieux. Comment va notre affaire ?

1 *Voilà bien de quoi !* : il n'y a pas de quoi s'inquiéter ! Au XVIIe siècle, on était vieux à 40 ans.

2 *six-vingts* : 120 ans (6 x 20).

920 **Frosine** : Faut-il le demander ? et me voit-on mêler de rien dont je ne vienne à bout ? J'ai surtout pour les mariages un talent merveilleux; il n'est point de partis au monde que je ne trouve en peu de temps le moyen d'accoupler; et je crois, si je me l'étais mis en tête, que je marierais le Grand Turc 925 avec la République de Venise[1]. Il n'y avait pas sans doute de si grandes difficultés à cette affaire-ci. Comme j'ai commerce chez elles[2], je les ai à fond l'une et l'autre entretenues de vous, et j'ai dit à la mère le dessein que vous aviez conçu pour Mariane, à la voir passer dans la rue, et prendre l'air à 930 sa fenêtre.

Harpagon : Qui a fait réponse...

Frosine : Elle a reçu la proposition avec joie; et quand je lui ai témoigné que vous souhaitiez fort que sa fille assistât ce soir au contrat de mariage qui se doit faire de la vôtre, elle y 935 a consenti sans peine, et me l'a confiée pour cela.

Harpagon : C'est que je suis obligé, Frosine, de donner à souper au seigneur[§] Anselme; et je serais bien aise qu'elle soit du régal[3].

Frosine : Vous avez raison. Elle doit après dîner rendre 940 visite à votre fille, d'où elle fait son compte[4] d'aller faire un tour à la foire, pour venir ensuite au souper.

Harpagon : Hé bien ! elles iront ensemble dans mon carrosse, que je leur prêterai.

Frosine : Voilà justement son affaire.

945 **Harpagon** : Mais, Frosine, as-tu entretenu la mère touchant le bien qu'elle peut donner à sa fille ? Lui as-tu dit

1 La République de Venise et la Turquie étaient ennemies depuis des siècles.
2 *j'ai commerce chez elles* : je suis en relation avec elles.
3 *régal* : festin.
4 *d'où elle fait son compte* : avec laquelle elle a l'intention.

qu'il fallait qu'elle s'aidât un peu, qu'elle fît quelque effort, qu'elle se saignât pour une occasion comme celle-ci ? Car encore n'épouse-t-on point une fille, sans qu'elle apporte quelque chose.

Frosine : Comment ? c'est une fille qui vous apportera douze mille livres[1] de rente.

Harpagon : Douze mille livres de rente !

Frosine : Oui. Premièrement, elle est nourrie et élevée dans une grande épargne de bouche[2] ; c'est une fille accoutumée à vivre de salade, de lait, de fromage et de pommes, et à laquelle par conséquent il ne faudra ni table bien servie, ni consommés exquis, ni orges mondés[3] perpétuels, ni les autres délicatesses qu'il faudrait pour une autre femme ; et cela ne va pas à si peu de chose, qu'il ne monte bien, tous les ans, à trois mille francs pour le moins. Outre cela, elle n'est curieuse[4] que d'une propreté[5] fort simple, et n'aime point les superbes habits, ni les riches bijoux, ni les meubles somptueux, où donnent ses pareilles avec tant de chaleur[§] ; et cet article-là vaut plus de quatre mille livres par an. De plus, elle a une aversion[§] horrible pour le jeu, ce qui n'est pas commun aux femmes d'aujourd'hui ; et j'en sais une de nos quartiers qui a perdu, à trente-et-quarante[6], vingt mille francs cette année. Mais n'en prenons rien que le quart. Cinq mille francs au jeu par an, et quatre mille francs en habits et bijoux, cela fait neuf mille livres ; et mille écus[§] que nous mettons pour la nourriture, ne voilà-t-il pas par année vos douze mille francs bien comptés ?

1 Approximativement 240 000 FF actuels ou 56 000 $.

2 *épargne de bouche* : économie de nourriture.

3 *orges mondés* : boisson à base de grains d'orge dépouillés de leurs enveloppes et qui avait la propriété de conserver le teint frais.

4 *curieuse* : soucieuse.

5 *propreté* : élégance.

6 *trente-et-quarante* : jeu de cartes, style black jack.

HARPAGON : Oui, cela n'est pas mal ; mais ce compte-là n'est
975 rien de réel.

FROSINE : Pardonnez-moi. N'est-ce pas quelque chose de réel, que de vous apporter en mariage une grande sobriété, l'héritage d'un grand amour de simplicité de parure, et l'acquisition d'un grand fonds de haine pour le jeu ?

980 HARPAGON : C'est une raillerie, que de vouloir me constituer son dot§ de toutes les dépenses qu'elle ne fera point. Je n'irai pas donner quittance[1] de ce que je ne reçois pas ; et il faut bien que je touche quelque chose.

FROSINE : Mon Dieu ! vous toucherez assez ; et elles m'ont
985 parlé d'un certain pays où elles ont du bien dont vous serez le maître.

2

HARPAGON : Il faudra voir[2] cela. Mais, Frosine, il y a encore une chose qui m'inquiète. La fille est jeune, comme tu vois ; et les jeunes gens d'ordinaire n'aiment que leurs semblables,
990 ne cherchent que leur compagnie. J'ai peur qu'un homme de mon âge ne soit pas de son goût ; et que cela ne vienne à produire chez moi certains petits désordres qui ne m'accommoderaient pas[3].

FROSINE : Ah ! que vous la connaissez mal ! C'est encore une
995 particularité que j'avais à vous dire. Elle a une aversion§ épouvantable pour tous les jeunes gens, et n'a de l'amour que pour les vieillards.

HARPAGON : Elle ?

FROSINE : Oui, elle. Je voudrais que vous l'eussiez entendue
1000 parler là-dessus. Elle ne peut souffrir du tout la vue d'un jeune homme ; mais elle n'est point plus ravie, dit-elle,

1 *donner quittance* : tenir quitte.

2 « *Voir* signifie aussi connaître charnellement une femme » (Furetière).

3 *ne m'accommoderaient pas* : ne me conviendraient pas.

Harpagon (Luc Durand) : J'ai peur qu'un homme de mon âge ne soit pas de son goût; et que cela ne vienne à produire chez moi certains petits désordres qui ne m'accommoderaient pas.
Frosine (Michèle Bernard) : Ah ! que vous la connaissez mal !

Acte II, scène 5, lignes 990 à 994.

Théâtre ProFusion inc., 1995.
Mise en scène de Luc Durand.

que lorsqu'elle peut voir un beau vieillard avec une barbe majestueuse. Les plus vieux sont pour elle les plus charmants, et je vous avertis de n'aller pas vous faire plus
1005 jeune que vous êtes. Elle veut tout au moins qu'on soit sexagénaire ; et il n'y a pas quatre mois encore, qu'étant prête d'être mariée, elle rompit tout net le mariage, sur ce que son amant fit voir qu'il n'avait que cinquante-six ans, et qu'il ne prit point de lunettes[1] pour signer le contrat.

1010 **Harpagon** : Sur cela seulement ?

Frosine : Oui. Elle dit que ce n'est pas contentement pour elle que cinquante-six ans ; et surtout, elle est pour les nez qui portent des lunettes.

Harpagon : Certes, tu me dis là une chose toute nouvelle.

2

1015 **Frosine** : Cela va plus loin qu'on ne vous peut dire. On lui voit dans sa chambre quelques tableaux et quelques estampes ; mais que pensez-vous que ce soit ? Des Adonis ? des Céphales ? des Pâris ? et des Apollons[2] ? Non : de beaux portraits de Saturne, du roi Priam, du vieux Nestor, et du bon
1020 père Anchise[3] sur les épaules de son fils.

Harpagon : Cela est admirable ! Voilà ce que je n'aurais jamais pensé ; et je suis bien aise d'apprendre qu'elle est de cette humeur. En effet, si j'avais été femme, je n'aurais point aimé les jeunes hommes.

1025 **Frosine** : Je le crois bien. Voilà de belles drogues[4] que des jeunes gens, pour les aimer ! Ce sont de beaux morveux, de beaux godelureaux[5], pour donner envie de leur peau ; et je voudrais bien savoir quel ragoût il y a à eux[6].

1 Au XVIIe siècle, porter des lunettes est un signe évident de vieillesse.
2 *Adonis, Céphales, Pâris, Apollons* : dieux et héros jeunes et beaux.
3 *Saturne, Priam, Nestor, Anchise* : dieux et héros sages et âgés.
4 *drogues* : remèdes (péjoratif).
5 *godelureaux* : jeunes hommes élégants et prétentieux.
6 *quel ragoût il y a à eux* : ce qui les rend séduisants.

Harpagon (Luc Durand) : En effet, si j'avais été femme, je n'aurais point aimé les jeunes hommes.

Acte II, scène 5, lignes 1023 et 1024.

Théâtre ProFusion inc., 1995.
Mise en scène de Luc Durand.

Harpagon : Pour moi, je n'y en comprends point ; et je ne sais pas comment[3] il y a des femmes qui les aiment tant.

Frosine : Il faut être folle fieffée[1]. Trouver la jeunesse aimable[§] ! est-ce avoir le sens commun ? Sont-ce des hommes que de jeunes blondins[2] ? et peut-on s'attacher à ces animaux-là ?

Harpagon : C'est ce que je dis tous les jours : avec leur ton de poule laitée[3], et leurs trois petits brins de barbe relevés en barbe de chat[4], leurs perruques d'étoupes[5], leurs hauts-de-chausses[§] tout tombants, et leurs estomacs débraillés[6].

Frosine : Eh ! cela est bien bâti, auprès d'une personne comme vous. Voilà un homme cela. Il y a là de quoi satisfaire à la vue ; et c'est ainsi qu'il faut être fait, et vêtu, pour donner de l'amour.

Harpagon : Tu me trouves bien ?

Frosine : Comment ? vous êtes à ravir, et votre figure est à peindre. Tournez-vous un peu, s'il vous plaît. Il ne se peut pas mieux. Que je vous voie marcher. Voilà un corps taillé, libre, et dégagé comme il faut, et qui ne marque aucune incommodité.

Harpagon : Je n'en ai pas de grandes, Dieu merci. Il n'y a que ma fluxion[7], qui me prend de temps en temps.

Frosine : Cela n'est rien. Votre fluxion ne vous sied point mal, et vous avez grâce à tousser.

1 *folle fieffée* : complètement folle.
2 *blondins* : qui portent une perruque blonde (couleur à la mode).
3 *ton de poule laitée* : voix efféminée.
4 *barbe de chat* : moustache.
5 *d'étoupes* : de couleur jaune pâle.
6 Les jeunes élégants déboutonnaient leurs vestes et faisaient bouffer leurs chemises sur leurs poitrines (« estomacs »).
7 *fluxion* : toux. Molière a attribué au personnage sa propre toux.

Harpagon : Dis-moi un peu : Mariane ne m'a-t-elle point encore vu ? N'a-t-elle point pris garde à moi en passant ?

Frosine : Non ; mais nous nous sommes fort entretenues de vous. Je lui ai fait un portrait de votre personne ; et je n'ai pas manqué de lui vanter votre mérite, et l'avantage que ce lui serait d'avoir un mari comme vous.

Harpagon : Tu as bien fait, et je t'en remercie.

Frosine : J'aurais, Monsieur, une petite prière à vous faire. (*Il prend un air sévère.*) J'ai un procès que je suis sur le point de perdre, faute d'un peu d'argent ; et vous pourriez facilement me procurer le gain de ce procès, si vous aviez quelque bonté pour moi. Vous ne sauriez croire le plaisir qu'elle aura de vous voir. (*Il reprend un air gai.*) Ah ! que vous lui plairez ! et que votre fraise à l'antique[1] fera sur son esprit un effet admirable ! Mais surtout elle sera charmée de votre haut-de-chausses[§], attaché au pourpoint[2] avec des aiguillettes[§], c'est pour la rendre folle de vous ; et un amant aiguilletté[3] sera pour elle un ragoût merveilleux.

Harpagon : Certes, tu me ravis de me dire cela.

Frosine : En vérité, Monsieur, ce procès m'est d'une conséquence[4] tout à fait grande. (*Il reprend son visage sévère.*) Je suis ruinée, si je le perds ; et quelque petite assistance me rétablirait mes affaires. Je voudrais que vous eussiez vu le ravissement où elle était à m'entendre parler de vous. (*Il reprend un air gai.*) La joie éclatait dans ses yeux, au récit de vos qualités ; et je l'ai mise enfin dans une impatience extrême de voir ce mariage entièrement conclu.

1 *fraise à l'antique* : sorte de collet à la mode vers 1600 (voir la photo, p. 105).
2 *pourpoint* : veste pour homme.
3 Jeu de mots probable avec l'expression *nouer l'aiguillette* : maléfice réputé empêcher la consommation du mariage.
4 *conséquence* : importance.

1080 **Harpagon** : Tu m'as fait grand plaisir, Frosine ; et je t'en ai, je te l'avoue, toutes les obligations du monde.

Frosine : Je vous prie, Monsieur, de me donner le petit secours que je vous demande. (*Il reprend son air sérieux.*) Cela me remettra sur pied, et je vous en serai éternellement
1085 obligée.

Harpagon : Adieu. Je vais achever mes dépêches[1].

Frosine : Je vous assure, Monsieur, que vous ne sauriez jamais me soulager dans un plus grand besoin.

Harpagon : Je mettrai ordre que mon carrosse soit tout
1090 prêt pour vous mener à la foire.

Frosine : Je ne vous importunerais pas, si je ne m'y voyais forcée par la nécessité.

Harpagon : Et j'aurai soin qu'on soupe de bonne heure, pour ne vous point faire malades.

1095 **Frosine** : Ne me refusez pas la grâce dont je vous sollicite. Vous ne sauriez croire, Monsieur, le plaisir que…

Harpagon : Je m'en vais. Voilà qu'on m'appelle. Jusqu'à tantôt.

Frosine, *seule* : Que la fièvre te serre[2], chien de vilain[§] à tous
1100 les diables ! Le ladre[§] a été ferme à toutes mes attaques ; mais il ne me faut pas pourtant quitter la négociation ; et j'ai l'autre côté[3], en tout cas, d'où je suis assurée de tirer bonne récompense.

1 *dépêches* : lettres d'affaires express.

2 *te serre* : t'étouffe.

3 *l'autre côté* : celui de la mère de Mariane.

ACTE III

SCÈNE 1 : Harpagon, Cléante, Élise, Valère, dame Claude, maître[1] Jacques, Brindavoine, La Merluche

Harpagon : Allons, venez çà[§] tous, que je vous distribue
1105 mes ordres pour tantôt et règle à chacun son emploi. Approchez, dame Claude. Commençons par vous. (*Elle tient un balai.*) Bon, vous voilà les armes à la main. Je vous commets au soin[2] de nettoyer partout ; et surtout prenez garde de ne point frotter les meubles trop fort, de peur de les user.
1110 Outre cela, je vous constitue, pendant le souper, au gouvernement des bouteilles[3] ; et s'il s'en écarte quelqu'une et qu'il se casse quelque chose, je m'en prendrai à vous, et le rabattrai sur vos gages[4].

Maître Jacques, *à part* : Châtiment politique[5].

1115 **Harpagon**, *à dame Claude* : Allez. Vous, Brindavoine, et vous, La Merluche, je vous établis dans la charge de rincer les verres, et de donner à boire[6], mais seulement lorsque l'on aura soif, et non pas selon la coutume de certains impertinents[§] de laquais, qui viennent provoquer les gens, et les
1120 faire aviser de boire[7] lorsqu'on n'y songe pas. Attendez qu'on vous en demande plus d'une fois, et vous ressouvenez de porter toujours beaucoup d'eau.

---

1 Le titre de maître lui est attribué parce qu'il est maître d'hôtel.
2 *commets au soin* : confie la tâche.
3 *constitue [...] au gouvernement des bouteilles* : charge [...] du service des boissons.
4 *rabattrai sur vos gages* : déduirai de vos gages.
5 *politique* : intéressé, puisque Harpagon économisera sur les gages.
6 Au XVIIe siècle, les verres n'étaient pas sur la table. Un valet les apportait, remplis, sur demande.
7 *faire aviser de boire* : pousser à boire.

MAÎTRE JACQUES, *à part* : Oui, le vin pur monte à la tête.

LA MERLUCHE : Quitterons-nous nos siquenilles[1], Monsieur ?

1125 HARPAGON : Oui, quand vous verrez venir les personnes ; et gardez bien de gâter vos habits.

BRINDAVOINE : Vous savez bien, Monsieur, qu'un des devants de mon pourpoint[§] est couvert d'une grande tache de l'huile de la lampe.

1130 LA MERLUCHE : Et moi, Monsieur, que j'ai mon haut-de-chausses[§] tout troué par-derrière, et qu'on me voit, révérence parler[2]…

HARPAGON, *à La Merluche* : Paix. Rangez cela adroitement du côté de la muraille, et présentez toujours le devant au 1135 monde. (*Harpagon met son chapeau au-devant de son pourpoint, pour montrer à Brindavoine comment il doit faire pour cacher la tache d'huile.*) Et vous, tenez toujours votre chapeau ainsi, lorsque vous servirez. (*S'adressant à Élise.*) Pour vous, ma fille, vous aurez l'œil sur ce que l'on desservira, et pren-1140 drez garde qu'il ne s'en fasse aucun dégât[3]. Cela sied bien aux filles. Mais cependant préparez-vous à bien recevoir ma maîtresse[4], qui vous doit venir visiter et vous mener avec elle à la foire. Entendez-vous ce que je vous dis ?

ÉLISE : Oui, mon père.

1145 HARPAGON : Et vous, mon fils le damoiseau[5], à qui j'ai la bonté de pardonner l'histoire de tantôt, ne vous allez pas aviser non plus de lui faire mauvais visage.

---

1 *siquenilles* : vêtements protégeant la livrée des valets.

2 *révérence parler* : si j'ose dire.

3 *dégât* : gaspillage.

4 *ma maîtresse* : la femme que j'aime.

5 *damoiseau* : jeune homme élégant (ironique).

Cléante : Moi, mon père, mauvais visage ? Et par quelle raison ?

1150 **Harpagon** : Mon Dieu ! nous savons le train[1] des enfants dont les pères se remarient, et de quel œil ils ont coutume de regarder ce qu'on appelle belle-mère. Mais si vous souhaitez que je perde le souvenir de votre dernière fredaine[2], je vous recommande surtout de régaler d'un bon
1155 visage[3] cette personne-là, et de lui faire enfin tout le meilleur accueil qu'il vous sera possible.

Cléante : À vous dire le vrai, mon père, je ne puis pas vous promettre d'être bien aise qu'elle devienne ma belle-mère : je mentirais, si je vous le disais ; mais pour ce qui est de la
1160 bien recevoir, et de lui faire bon visage, je vous promets de vous obéir ponctuellement sur ce chapitre.

Harpagon : Prenez-y garde au moins.

Cléante : Vous verrez que vous n'aurez pas sujet de vous en plaindre.

1165 **Harpagon** : Vous ferez sagement. Valère, aide-moi à ceci. Ho çà[§], maître Jacques, approchez-vous, je vous ai gardé pour le dernier.

Maître Jacques : Est-ce à votre cocher, Monsieur, ou bien à votre cuisinier, que vous voulez parler ? car je suis l'un
1170 et l'autre.

Harpagon : C'est à tous les deux.

Maître Jacques : Mais à qui des deux le premier ?

Harpagon : Au cuisinier.

1 *train* : façon d'agir.
2 *fredaine* : écart de conduite.
3 *régaler d'un bon visage* : bien accueillir.

Maître Jacques : Attendez donc, s'il vous plaît.

1175 *Il ôte sa casaque*[1] *de cocher, et paraît vêtu en cuisinier.*

Harpagon : Quelle diantre[§] de cérémonie est-ce là ?

Maître Jacques : Vous n'avez qu'à parler.

Harpagon : Je me suis engagé, maître Jacques, à donner ce soir à souper.

1180 **Maître Jacques,** *à part* : Grande merveille !

Harpagon : Dis-moi un peu, nous feras-tu bonne chère[2] ?

Maître Jacques : Oui, si vous me donnez bien de l'argent.

Harpagon : Que diable, toujours de l'argent ! Il semble qu'ils n'aient autre chose à dire : « De l'argent, de l'argent, de
1185 l'argent. » Ah ! ils n'ont que ce mot à la bouche : « De l'argent. » Toujours parler d'argent. Voilà leur épée de chevet[3], de l'argent.

Valère : Je n'ai jamais vu de réponse plus impertinente[§] que celle-là. Voilà une belle merveille que de faire bonne
1190 chère avec bien de l'argent : c'est une chose la plus aisée du monde, et il n'y a si pauvre esprit qui n'en fît bien autant ; mais pour agir en habile homme, il faut parler de faire bonne chère avec peu d'argent.

Maître Jacques : Bonne chère avec peu d'argent !

1195 **Valère** : Oui.

Maître Jacques, *à Valère* : Par ma foi, Monsieur l'intendant, vous nous obligerez de nous faire voir ce secret, et de

---

1 *casaque* : livrée.

2 *bonne chère* : bon repas.

3 *épée de chevet* : éternel argument. L'expression vient de ce que même la nuit, le gentilhomme gardait son épée sous la main.

prendre mon office de cuisinier : aussi bien vous mêlez-vous céans[§] d'être le factoton[1].

200 **Harpagon** : Taisez-vous. Qu'est-ce qu'il nous faudra ?

Maître Jacques : Voilà Monsieur votre intendant, qui vous fera bonne chère pour peu d'argent.

Harpagon : Haye ! je veux que tu me répondes.

Maître Jacques : Combien serez-vous de gens à table ?

205 **Harpagon** : Nous serons huit ou dix; mais il ne faut prendre que huit; quand il y a à manger pour huit, il y en a bien pour dix.

Valère : Cela s'entend[§].

Maître Jacques : Hé bien ! il faudra quatre grands
210 potages[2], et cinq assiettes[3]. Potages[4]… Entrées[5]…

Harpagon : Que diable ! voilà pour traiter toute une ville entière.

Maître Jacques : Rôt[6]…

Harpagon, *en lui mettant la main sur la bouche* : Ah !
215 traître, tu manges tout mon bien.

1 *factoton* : factotum, homme à tout faire.

2 *potages* : volailles et légumes en pot-au-feu.

3 *assiettes* : ragoûts ou entrées servis entre les plats.

4 Suit une énumération de plats qui pouvait changer selon la représentation. L'une, celle de l'édition de 1682, nous est parvenue : «Potages : bisque, potage de perdrix aux choux verts, potage de santé, potage de canards aux navets».

5 «Entrées : fricassée de poulets, tourte de pigeonneaux, ris de veau, boudin blanc et morilles» (1682).

6 «Rôt [rôti] dans un grandissime bassin, en pyramide : une grande longe de veau de rivière, trois faisans, trois poulardes grasses, douze pigeons de volière, douze poulets de grain, six lapereaux de garenne, douze perdreaux, deux douzaines de cailles, trois douzaines d'ortolans…» (1682).

Maître Jacques : Entremets[1]...

Harpagon, *mettant encore la main sur la bouche de maître Jacques* : Encore ?

Valère, *à maître Jacques* : Est-ce que vous avez envie de
1220 faire crever tout le monde ? et Monsieur a-t-il invité des gens pour les assassiner à force de mangeaille ? Allez-vous-en lire un peu les préceptes de la santé, et demander aux médecins s'il y a rien de plus préjudiciable à l'homme que de manger avec excès.

1225 **Harpagon** : Il a raison.

Valère : Apprenez, maître Jacques, vous et vos pareils, que c'est un coupe-gorge qu'une table remplie de trop de viandes[2] ; que pour se bien montrer ami de ceux que l'on invite, il faut que la frugalité règne dans les repas qu'on donne ; et
1230 que, suivant le dire d'un ancien, *il faut manger pour vivre, et non pas vivre pour manger.*

Harpagon : Ah ! que cela est bien dit ! Approche, que je t'embrasse pour ce mot. Voilà la plus belle sentence que j'aie entendue de ma vie. *Il faut vivre pour manger, et non pas*
1235 *manger pour vi...* Non, ce n'est pas cela. Comment est-ce que tu dis ?

Valère : Qu'*il faut manger pour vivre, et non pas vivre pour manger.*

Harpagon : Oui. (*À maître Jacques.*) Entends-tu ? (*À Valère.*)
1240 Qui est le grand homme[3] qui a dit cela ?

Valère : Je ne me souviens pas maintenant de son nom.

---

1 *Entremets* : ragoûts servis entre le rôti et les fruits.

2 *viandes* : nourriture en général.

3 Cicéron (106-43 av. J.-C.), auteur latin.

Maître Jacques (Jacques-Henri Gagnon) : Entremets…
Harpagon (Roland Lepage), *mettant encore la main sur la bouche de maître Jacques* : Encore ?

Acte III, scène 1, lignes 1216 à 1218.

Théâtre du Trident, 1989.
Mise en scène de Jean-Pierre Ronfard.

HARPAGON : Souviens-toi de m'écrire ces mots : je les veux faire graver en lettres d'or sur la cheminée de ma salle.

VALÈRE : Je n'y manquerai pas. Et pour votre souper, vous
1245 n'avez qu'à me laisser faire : je réglerai tout cela comme il faut.

HARPAGON : Fais donc.

MAÎTRE JACQUES : Tant mieux : j'en aurai moins de peine.

HARPAGON, *à Valère* : Il faudra de ces choses dont on ne
1250 mange guère, et qui rassasient d'abord[1] : quelque bon haricot[2] bien gras, avec quelque pâté en pot[3] bien garni de marrons.

VALÈRE : Reposez-vous sur moi.

3

HARPAGON : Maintenant, maître Jacques, il faut nettoyer
1255 mon carrosse.

MAÎTRE JACQUES : Attendez. Ceci s'adresse au cocher. (*Il remet sa casaque.*) Vous dites…

HARPAGON : Qu'il faut nettoyer mon carrosse, et tenir mes chevaux tous prêts pour conduire à la foire…

1260 MAÎTRE JACQUES : Vos chevaux, Monsieur ? Ma foi, ils ne sont point du tout en état de marcher. Je ne vous dirai point qu'ils sont sur la litière, les pauvres bêtes n'en ont point, et ce serait fort mal parler ; mais vous leur faites observer des jeûnes si austères, que ce ne sont plus rien que des idées ou
1265 des fantômes, des façons[4] de chevaux.

HARPAGON : Les voilà bien malades : ils ne font rien.

1 *d'abord* : tout de suite.
2 *haricot* : ragoût de mouton.
3 *pâté en pot* : ragoût de bœuf.
4 *façons* : apparences.

MAÎTRE JACQUES : Et pour ne faire rien, Monsieur, est-ce qu'il ne faut rien manger ? Il leur vaudrait bien mieux, les pauvres animaux, de travailler beaucoup, de manger de
270 même. Cela me fend le cœur, de les voir ainsi exténués ; car enfin j'ai une tendresse pour mes chevaux, qu'il me semble que c'est moi-même quand je les vois pâtir ; je m'ôte tous les jours pour eux les choses de la bouche ; et c'est être, Monsieur, d'un naturel trop dur, que de n'avoir nulle pitié de son
275 prochain.

HARPAGON : Le travail ne sera pas grand, d'aller jusqu'à la foire.

MAÎTRE JACQUES : Non, Monsieur, je n'ai pas le courage de les mener, et je ferais conscience[1] de leur donner des coups
280 de fouet, en l'état où ils sont. Comment voudriez-vous qu'ils traînassent un carrosse, qu'ils[2] ne peuvent pas se traîner eux-mêmes ?

VALÈRE : Monsieur, j'obligerai le voisin le Picard à se charger de les conduire ; aussi bien nous fera-t-il ici besoin[3] pour
285 apprêter le souper.

MAÎTRE JACQUES : Soit, j'aime mieux encore qu'ils meurent sous la main d'un autre que sous la mienne.

VALÈRE : Maître Jacques fait bien le raisonnable[4].

MAÎTRE JACQUES : Monsieur l'intendant fait bien le néces-
290 saire[5].

HARPAGON : Paix !

1 *je ferais conscience* : j'aurais mauvaise conscience.
2 *qu'ils* : alors qu'ils.
3 *nous fera-t-il ici besoin* : puisque nous en aurons besoin ici.
4 *le raisonnable* : celui qui discute.
5 *le nécessaire* : celui qui se rend indispensable.

Maître Jacques : Monsieur, je ne saurais souffrir les flatteurs ; et je vois que ce qu'il en fait, que ses contrôles perpétuels sur le pain et le vin, le bois, le sel, et la chandelle, ne
1295 sont rien que pour vous gratter[1] et vous faire sa cour. J'enrage de cela, et je suis fâché tous les jours d'entendre ce qu'on dit de vous ; car enfin je me sens pour vous de la tendresse, en dépit que j'en aie[2] ; et après mes chevaux, vous êtes la personne que j'aime le plus.

1300 **Harpagon** : Pourrais-je savoir de vous, maître Jacques, ce que l'on dit de moi ?

Maître Jacques : Oui, Monsieur, si j'étais assuré que cela ne vous fâchât point.

3

Harpagon : Non, en aucune façon.

1305 **Maître Jacques** : Pardonnez-moi, je sais fort bien que je vous mettrais en colère.

Harpagon : Point du tout, au contraire, c'est me faire plaisir, et je suis bien aise d'apprendre comme[§] on parle de moi.

Maître Jacques : Monsieur, puisque vous le voulez, je vous
1310 dirai franchement qu'on se moque partout de vous ; qu'on nous jette de tous côtés cent brocards[3] à votre sujet ; et que l'on n'est point plus ravi que de vous tenir au cul et aux chausses[4], et de faire sans cesse des contes de votre lésine[5]. L'un dit que vous faites imprimer des almanachs[6] particuliers,
1315 où vous faites doubler les quatre-temps et les vigiles[7], afin de

1 *gratter* : flatter.
2 *en dépit que j'en aie* : malgré moi.
3 *brocards* : railleries, moqueries.
4 *vous tenir au cul et aux chausses* : s'acharner après vous.
5 *lésine* : avarice.
6 *almanachs* : calendriers.
7 Jours de jeûne prescrits par l'Église : trois jours au début de chaque saison (« les quatre-temps ») et les veilles de grandes fêtes (« les vigiles »).

profiter des jeûnes où vous obligez votre monde. L'autre, que vous avez toujours une querelle toute prête à faire à vos valets dans le temps des étrennes[1], ou de leur sortie d'avec vous[2], pour vous trouver une raison de ne leur donner rien.
320 Celui-là conte qu'une fois vous fîtes assigner[3] le chat d'un de vos voisins, pour vous avoir mangé un reste d'un gigot de mouton. Celui-ci, que l'on vous surprit une nuit, en venant dérober vous-même l'avoine de vos chevaux; et que votre cocher, qui était celui d'avant moi, vous donna dans
325 l'obscurité je ne sais combien de coups de bâton, dont vous ne voulûtes rien dire. Enfin voulez-vous que je vous dise? On ne saurait aller nulle part où l'on ne vous entende accommoder de toutes pièces[4]; vous êtes la fable et la risée de tout le monde; et jamais on ne parle de vous, que sous les
330 noms d'avare, de ladre[§], de vilain[§] et de fesse-mathieu[§].

Harpagon, *en le battant*: Vous êtes un sot, un maraud[5], un coquin[§], et un impudent[6].

Maître Jacques : Hé bien ! ne l'avais-je pas deviné ? Vous ne m'avez pas voulu croire : je vous l'avais bien dit que je
335 vous fâcherais de vous dire la vérité.

Harpagon : Apprenez à parler.

1 *étrennes* : cadeaux offerts à l'occasion du premier jour de l'année.
2 *de leur sortie d'avec vous* : au moment où ils quittent votre service.
3 *assigner* : comparaître en justice.
4 *accommoder de toutes pièces* : ridiculiser de toutes les façons.
5 *maraud* : vaurien.
6 *impudent* : effronté.

SCÈNE 2 : MAÎTRE JACQUES, VALÈRE

VALÈRE, *riant* : À ce que je puis voir, maître Jacques, on paye mal votre franchise.

MAÎTRE JACQUES : Morbleu ! Monsieur le nouveau venu, qui faites l'homme d'importance, ce n'est pas votre affaire. Riez de vos coups de bâton quand on vous en donnera, et ne venez point rire des miens.

VALÈRE : Ah ! Monsieur maître Jacques, ne vous fâchez pas, je vous prie.

MAÎTRE JACQUES, *bas, à part* : Il file doux. Je veux faire le brave et s'il est assez sot pour me craindre, le frotter[1] quelque peu. (*Haut.*) Savez-vous bien, Monsieur le rieur, que je ne ris pas, moi ? et que si vous m'échauffez la tête, je vous ferai rire d'une autre sorte ?

Maître Jacques pousse Valère jusques au bout du théâtre, en le menaçant.

VALÈRE : Eh ! doucement.

MAÎTRE JACQUES : Comment, doucement ? Il ne me plaît pas, moi.

VALÈRE : De grâce.

MAÎTRE JACQUES : Vous êtes un impertinent[2].

VALÈRE : Monsieur maître Jacques…

1 *frotter* : battre.

2 *impertinent* : personne qui se conduit de façon déplacée.

Maître Jacques : Il n'y a point de Monsieur maître Jacques pour un double[1]. Si je prends un bâton, je vous rosserai[§]
360 d'importance.

Valère : Comment, un bâton ?

Valère le fait reculer autant qu'il l'a fait.

Maître Jacques : Eh ! je ne parle pas de cela.

Valère : Savez-vous bien, Monsieur le fat[2], que je suis
365 homme à vous rosser moi-même ?

Maître Jacques : Je n'en doute pas.

Valère : Que vous n'êtes, pour tout potage[3], qu'un faquin[4] de cuisinier ?

Maître Jacques : Je le sais bien.

370 **Valère** : Et que vous ne me connaissez pas encore.

Maître Jacques : Pardonnez-moi.

Valère : Vous me rosserez, dites-vous ?

Maître Jacques : Je le disais en raillant.

Valère : Et moi, je ne prends point de goût à votre raillerie.
375 (*Il lui donne des coups de bâton.*) Apprenez que vous êtes un mauvais railleur.

Maître Jacques, *seul* : Peste soit la sincérité ! c'est un mauvais métier. Désormais j'y renonce, et je ne veux plus dire vrai. Passe encore pour mon maître ; il a quelque droit de

1 *un double* : quelqu'un de peu de valeur. L'expression vient du fait que le double, ancienne monnaie, ne valait que deux deniers, donc presque rien.

2 *fat* : sot.

3 *pour tout potage* : en tout et pour tout.

4 *faquin* : bon à rien.

1380 me battre[1] ; mais pour ce Monsieur l'intendant, je m'en vengerai si je puis.

SCÈNE 3 : FROSINE, MARIANE, MAÎTRE JACQUES

FROSINE : Savez-vous, maître Jacques, si votre maître est au logis ?

MAÎTRE JACQUES : Oui vraiment il y est, je ne le sais que trop.

1385 **FROSINE** : Dites-lui, je vous prie, que nous sommes ici.

SCÈNE 4 : MARIANE, FROSINE

MARIANE : Ah ! que je suis, Frosine, dans un étrange état ! et s'il faut dire ce que je sens, que j'appréhende cette vue !

FROSINE : Mais pourquoi, et quelle est votre inquiétude ?

MARIANE : Hélas ! me le demandez-vous ? et ne vous 1390 figurez-vous point les alarmes[2] d'une personne toute prête à voir le supplice où l'on veut l'attacher ?

FROSINE : Je vois bien que, pour mourir agréablement, Harpagon n'est pas le supplice que vous voudriez embrasser ; et je connais à votre mine que le jeune blondin[§] dont vous 1395 m'avez parlé vous revient un peu dans l'esprit.

1 Au XVIIe siècle, battre les domestiques était dans les mœurs.

2 *alarmes* : craintes.

Mariane : Oui, c'est une chose, Frosine, dont je ne veux pas me défendre ; et les visites respectueuses qu'il a rendues chez nous ont fait, je vous l'avoue, quelque effet dans mon âme.

Frosine : Mais avez-vous su quel[1] il est ?

400 **Mariane** : Non, je ne sais point quel il est ; mais je sais qu'il est fait d'un air à se faire aimer[2] ; que si l'on pouvait mettre les choses à mon choix, je le prendrais plutôt qu'un autre ; et qu'il ne contribue pas peu à me faire trouver un tourment effroyable dans l'époux qu'on veut me donner.

405 **Frosine** : Mon Dieu ! tous ces blondins[§] sont agréables, et débitent fort bien leur fait[3] ; mais la plupart sont gueux[4] comme des rats ; et il vaut mieux pour vous de prendre un vieux mari qui vous donne beaucoup de bien. Je vous avoue que les sens ne trouvent pas si bien leur compte du côté que 410 je dis, et qu'il y a quelques petits dégoûts à essuyer[§] avec un tel époux ; mais cela n'est pas pour durer, et sa mort, croyez-moi, vous mettra bientôt en état d'en prendre un plus aimable[§], qui réparera toutes choses.

Mariane : Mon Dieu ! Frosine, c'est une étrange affaire, 415 lorsque, pour être heureuse, il faut souhaiter ou attendre le trépas[5] de quelqu'un, et la mort ne suit pas tous les projets que nous faisons.

Frosine : Vous moquez-vous ? Vous ne l'épousez qu'aux conditions de vous laisser veuve bientôt ; et ce doit être là un 420 des articles du contrat. Il serait bien impertinent[§] de ne pas mourir dans trois mois. Le voici en propre personne.

Mariane : Ah ! Frosine, quelle figure !

---

1 *quel* : qui.
2 *fait d'un air à se faire aimer* : séduisant.
3 *débitent fort bien leur fait* : sont de beaux parleurs.
4 *gueux* : pauvres.
5 *trépas* : décès.

SCÈNE 5 : HARPAGON, FROSINE, MARIANE

HARPAGON, *à Mariane* : Ne vous offensez pas, ma belle, si je viens à vous avec des lunettes. Je sais que vos appas[1] frappent
1425 assez les yeux, sont assez visibles d'eux-mêmes, et qu'il n'est pas besoin de lunettes pour les apercevoir ; mais enfin c'est avec des lunettes qu'on observe les astres ; et je maintiens et garantis que vous êtes un astre, mais un astre le plus bel astre qui soit dans le pays des astres. Frosine, elle ne répond
1430 mot, et ne témoigne, ce me semble, aucune joie de me voir.

FROSINE : C'est qu'elle est encore toute surprise ; et puis les filles ont toujours honte à témoigner d'abord[§] ce qu'elles ont dans l'âme.

HARPAGON, *à Frosine* : Tu as raison. (*À Mariane.*) Voilà,
1435 belle mignonne[2], ma fille qui vient vous saluer.

SCÈNE 6 : ÉLISE, HARPAGON, MARIANE, FROSINE

MARIANE : Je m'acquitte bien tard, Madame, d'une telle visite.

ÉLISE : Vous avez fait, Madame, ce que je devais faire, et c'était à moi de vous prévenir[3].

HARPAGON : Vous voyez qu'elle est grande ; mais mauvaise
1440 herbe croît toujours.

MARIANE, *bas, à Frosine* : Oh ! l'homme déplaisant !

1 *appas* : charmes physiques, familièrement la poitrine.
2 Les galanteries d'Harpagon sont vieillottes même en 1668.
3 *prévenir* : devancer.

Harpagon, *bas, à Frosine* : Que dit la belle ?

Frosine : Qu'elle vous trouve admirable.

Harpagon[1] : C'est trop d'honneur que vous me faites,
45 adorable mignonne.

Mariane, *à part* : Quel animal !

Harpagon : Je vous suis trop obligé de ces sentiments.

Mariane, *à part* : Je n'y puis plus tenir.

Harpagon : Voici mon fils aussi qui vous vient faire la
50 révérence[2].

Mariane, *à part, à Frosine* : Ah ! Frosine, quelle rencontre ! C'est justement celui dont je t'ai parlé.

Frosine, *à Mariane* : L'aventure est merveilleuse[3].

Harpagon : Je vois que vous vous étonnez de me voir de
55 si grands enfants, mais je serai bientôt défait et de l'un et de l'autre.

SCÈNE 7 : Cléante, Harpagon, Élise, Mariane, Frosine

Cléante, *à Mariane* : Madame, à vous dire le vrai, c'est ici une aventure où§ sans doute§ je ne m'attendais pas ; et mon père ne m'a pas peu surpris lorsqu'il m'a dit tantôt le dessein
60 qu'il avait formé.

1 Traditionnellement, les révérences d'Harpagon qu'il destine à Mariane sont bloquées par Frosine qui s'interpose entre les deux.

2 *faire la révérence* : dire bonjour.

3 *merveilleuse* : extraordinaire.

Mariane : Je puis dire la même chose. C'est une rencontre imprévue qui m'a surprise autant que vous; et je n'étais point préparée à une pareille aventure.

Cléante : Il est vrai que mon père, Madame, ne peut pas
1465 faire un plus beau choix, et que ce m'est une sensible[1] joie que l'honneur de vous voir; mais avec tout cela, je ne vous assurerai point que je me réjouis du dessein où vous pourriez être[2] de devenir ma belle-mère. Le compliment, je vous l'avoue, est trop difficile pour moi; et c'est un titre, s'il vous
1470 plaît, que je ne vous souhaite point. Ce discours paraîtra brutal aux yeux de quelques-uns; mais je suis assuré que vous serez personne à le prendre comme il faudra; que c'est un mariage, Madame, où vous vous imaginez bien que je dois avoir de la répugnance; que vous n'ignorez pas, sachant
1475 ce que je suis, comme il choque[3] mes intérêts; et que vous voulez bien enfin que je vous dise, avec la permission de mon père, que si les choses dépendaient de moi, cet hymen[4] ne se ferait point.

4

Harpagon : Voilà un compliment bien impertinent[§] :
1480 quelle belle confession à lui faire !

Mariane : Et moi, pour vous répondre, j'ai à vous dire que les choses sont fort égales[5]; et que si vous auriez[6] de la répugnance à me voir votre belle-mère, je n'en aurais pas moins sans doute[§] à vous voir mon beau-fils. Ne croyez pas,
1485 je vous prie, que ce soit moi qui cherche à vous donner cette inquiétude. Je serais fort fâchée de vous causer du déplaisir[§]; et si je ne m'y vois forcée par une puissance absolue, je vous

1 *sensible* : grande.

2 *dessein où vous pourriez être* : projet que vous pourriez avoir.

3 *comme il choque* : combien il heurte.

4 *hymen* : mariage.

5 *les choses sont fort égales* : je pense comme vous.

6 *auriez* : aviez.

donne ma parole que je ne consentirai point au mariage qui vous chagrine.

490 HARPAGON : Elle a raison ; à sot compliment il faut une réponse de même. Je vous demande pardon, ma belle, de l'impertinence de mon fils. C'est un jeune sot, qui ne sait pas encore la conséquence des paroles qu'il dit.

MARIANE : Je vous promets que ce qu'il m'a dit ne m'a point
495 du tout offensée ; au contraire, il m'a fait plaisir de m'expliquer ainsi ses véritables sentiments. J'aime de lui un aveu de la sorte ; et, s'il avait parlé d'autre façon, je l'en estimerais bien moins.

HARPAGON : C'est beaucoup de bonté à vous de vouloir
500 ainsi excuser ses fautes. Le temps le rendra plus sage, et vous verrez qu'il changera de sentiments.

CLÉANTE : Non, mon père, je ne suis point capable d'en changer, et je prie instamment Madame de le croire.

HARPAGON : Mais voyez quelle extravagance ! il continue
505 encore plus fort.

CLÉANTE : Voulez-vous que je trahisse mon cœur ?

HARPAGON : Encore ? Avez-vous envie de changer de discours ?

CLÉANTE : Hé bien ! puisque vous voulez que je parle
510 d'autre façon, souffrez[1], Madame, que je me mette ici à la place de mon père, et que je vous avoue que je n'ai rien vu dans le monde de si charmant que vous ; que je ne conçois rien d'égal au bonheur de vous plaire, et que le titre de votre époux est une gloire, une félicité que je préférerais aux des-
515 tinées des plus grands princes de la terre. Oui, Madame, le bonheur de vous posséder est à mes regards la plus belle de

1 *souffrez* : permettez.

toutes les fortunes[§] ; c'est où j'attache[1] toute mon ambition ; il n'y a rien que je ne sois capable de faire pour une conquête si précieuse, et les obstacles les plus puissants…

1520 **Harpagon** : Doucement, mon fils, s'il vous plaît.

Cléante : C'est un compliment que je fais pour vous à Madame.

Harpagon : Mon Dieu ! j'ai une langue pour m'expliquer moi-même, et je n'ai pas besoin d'un procureur[2] comme
1525 vous. Allons, donnez des sièges.

Frosine : Non ; il vaut mieux que de ce pas nous allions à la foire, afin d'en revenir plus tôt, et d'avoir tout le temps ensuite de vous entretenir.

4

Harpagon, *à Brindavoine* : Qu'on mette donc les chevaux
1530 au carrosse. (*À Mariane.*) Je vous prie de m'excuser, ma belle, si je n'ai pas songé à vous donner un peu de collation avant que de partir.

Cléante : J'y ai pourvu, mon père, et j'ai fait apporter ici quelques bassins[3] d'oranges de la Chine, de citrons doux et
1535 de confitures[4], que j'ai envoyé quérir[5] de votre part.

Harpagon, *bas, à Valère* : Valère !

Valère, *à Harpagon* : Il a perdu le sens.

Cléante : Est-ce que vous trouvez, mon père, que ce ne soit pas assez ? Madame aura la bonté d'excuser cela, s'il lui plaît.

1540 **Mariane** : C'est une chose qui n'était pas nécessaire.

1 *c'est où j'attache* : c'est là que je mets.
2 *procureur* : personne qui agit pour une autre.
3 *bassins* : coupes.
4 Au XVIIe siècle, oranges, citrons et confitures étaient des produits de luxe.
5 *quérir* : chercher.

Cléante : Avez-vous jamais vu, Madame, un diamant plus vif que celui que vous voyez que mon père a au doigt ?

Mariane : Il est vrai qu'il brille beaucoup.

Cléante. *Il l'ôte du doigt de son père et le donne à Mariane* :
45 Il faut que vous le voyiez de près.

Mariane : Il est fort beau sans doute[§], et jette quantité de feux.

Cléante. *Il se met au-devant de Mariane, qui le veut rendre* : Nenni[1], Madame : il est en de trop belles mains. C'est un
50 présent que mon père vous a fait.

Harpagon : Moi ?

Cléante : N'est-il pas vrai, mon père, que vous voulez que Madame le garde pour l'amour de vous ?

Harpagon, *à part, à son fils* : Comment ?

55 **Cléante** : Belle demande ! (*À Mariane.*) Il me fait signe de vous le faire accepter.

Mariane : Je ne veux point…

Cléante, *à Mariane* : Vous moquez-vous ? Il n'a garde de le reprendre.

60 **Harpagon**, *à part* : J'enrage !

Mariane : Ce serait…

Cléante, *en empêchant toujours Mariane de rendre la bague* : Non, vous dis-je, c'est l'offenser.

Mariane : De grâce…

65 **Cléante** : Point du tout.

1 *Nenni* : non.

HARPAGON, *à part* : Peste soit…

CLÉANTE : Le voilà qui se scandalise de votre refus.

HARPAGON, *bas, à son fils* : Ah ! traître !

CLÉANTE : Vous voyez qu'il se désespère.

1570 HARPAGON, *bas, à son fils, en le menaçant* : Bourreau que tu es !

CLÉANTE : Mon père, ce n'est pas ma faute. Je fais ce que je puis pour l'obliger à la garder ; mais elle est obstinée.

HARPAGON, *bas, à son fils, avec emportement* : Pendard !

4 1575 CLÉANTE : Vous êtes cause, Madame, que mon père me querelle.

HARPAGON, *bas, à son fils, avec les mêmes grimaces* : Le coquin[§] !

CLÉANTE, *à Mariane* : Vous le ferez tomber malade. De 1580 grâce, Madame, ne résistez point davantage.

FROSINE, *à Mariane* : Mon Dieu ! que de façons ! Gardez la bague, puisque Monsieur le veut.

MARIANE, *à Harpagon* : Pour ne vous point mettre en colère, je la garde maintenant ; et je prendrai un autre 1585 temps[1] pour vous la rendre.

1 *prendrai un autre temps* : choisirai un autre moment.

SCÈNE 8 : HARPAGON, MARIANE, FROSINE, CLÉANTE, BRINDAVOINE, ÉLISE

BRINDAVOINE : Monsieur, il y a là un homme qui veut vous parler.

HARPAGON : Dis-lui que je suis empêché, et qu'il revienne une autre fois.

BRINDAVOINE : Il dit qu'il vous apporte de l'argent.

HARPAGON, *à Mariane* : Je vous demande pardon. Je reviens tout à l'heure[§].

SCÈNE 9 : HARPAGON, MARIANE, CLÉANTE, ÉLISE, FROSINE, LA MERLUCHE

LA MERLUCHE. *Il vient en courant, et fait tomber Harpagon* : Monsieur…

HARPAGON : Ah ! je suis mort.

CLÉANTE : Qu'est-ce, mon père ? vous êtes-vous fait mal ?

HARPAGON : Le traître assurément a reçu de l'argent de mes débiteurs, pour me faire rompre le cou.

VALÈRE : Cela ne sera rien.

LA MERLUCHE : Monsieur, je vous demande pardon, je croyais bien faire d'accourir vite.

HARPAGON : Que viens-tu faire ici, bourreau ?

LA MERLUCHE : Vous dire que vos deux chevaux sont déferrés.

1605 **Harpagon** : Qu'on les mène promptement chez le maréchal.

Cléante : En attendant qu'ils soient ferrés, je vais faire pour vous, mon père, les honneurs de votre logis, et conduire Madame dans le jardin, où je ferai porter la collation.

1610 **Harpagon** : Valère, aie un peu l'œil à tout cela ; et prends soin, je te prie, de m'en sauver le plus que tu pourras, pour le renvoyer au marchand.

Valère : C'est assez[1].

Harpagon, *seul* : Ô fils impertinent[§], as-tu envie de me
1615 ruiner ?

1 Formule ambiguë. Valère s'adresse-t-il à Cléante pour lui dire que cela suffit, ou à Harpagon pour lui signifier qu'il a compris ce qu'il veut ?

SCÈNE 1 : CLÉANTE, MARIANE, ÉLISE, FROSINE

CLÉANTE : Rentrons ici, nous serons beaucoup mieux. Il n'y a plus autour de nous personne de suspect, et nous pouvons parler librement.

ÉLISE : Oui, Madame, mon frère m'a fait confidence de la pas-
620 sion qu'il a pour vous. Je sais les chagrins et les déplaisirs§ que sont capables de causer de pareilles traverses[1] ; et c'est, je vous assure, avec une tendresse extrême que je m'intéresse à votre aventure.

MARIANE : C'est une douce consolation que de voir dans ses
625 intérêts une personne comme vous; et je vous conjure, Madame, de me garder toujours cette généreuse amitié, si capable de m'adoucir les cruautés de la fortune§.

FROSINE : Vous êtes, par ma foi, de malheureuses gens l'un et l'autre, de ne m'avoir point, avant tout ceci, avertie
630 de votre affaire. Je vous aurais sans doute§ détourné[2] cette inquiétude, et n'aurais point amené les choses où l'on voit qu'elles sont.

CLÉANTE : Que veux-tu ? C'est ma mauvaise destinée qui l'a voulu ainsi. Mais, belle Mariane, quelles résolutions sont
635 les vôtres ?

MARIANE : Hélas ! suis-je en pouvoir de faire des résolutions ? Et dans la dépendance où je me vois, puis-je former que[3] des souhaits ?

1 *traverses* : obstacles, difficultés.

2 *détourné* : évité, épargné.

3 *que* : autre chose que.

Cléante : Point d'autre appui pour moi dans votre cœur que de simples souhaits ? point de pitié officieuse[1] ? point de secourable bonté ? point d'affection agissante ?

Mariane : Que saurais-je vous dire ? Mettez-vous en[2] ma place, et voyez ce que je puis faire. Avisez, ordonnez vous-même : je m'en remets à vous, et je vous crois trop raisonnable pour vouloir exiger de moi que ce qui peut m'être permis par l'honneur et la bienséance.

Cléante : Hélas ! où me réduisez-vous, que de me renvoyer[3] à ce que voudront me permettre les fâcheux sentiments d'un rigoureux honneur et d'une scrupuleuse bienséance.

Mariane : Mais que voulez-vous que je fasse ? Quand je pourrais[4] passer sur quantité d'égards où notre sexe est obligé, j'ai de la considération pour ma mère. Elle m'a toujours élevée avec une tendresse extrême, et je ne saurais me résoudre à lui donner du déplaisir[§]. Faites, agissez auprès d'elle, employez tous vos soins à gagner son esprit : vous pouvez faire et dire tout ce que vous voudrez, je vous en donne la licence[5], et s'il ne tient qu'à me déclarer en votre faveur, je veux bien consentir à lui faire un aveu moi-même de tout ce que je sens pour vous.

Cléante : Frosine, ma pauvre Frosine, voudrais-tu nous servir ?

Frosine : Par ma foi ! faut-il demander ? je le voudrais de tout mon cœur. Vous savez que de mon naturel je suis assez humaine ; le Ciel ne m'a point fait l'âme de bronze, et je n'ai que trop de tendresse à rendre de petits services, quand je

1 *officieuse* : serviable.

2 *en* : à.

3 *que de me renvoyer* : en me renvoyant.

4 *Quand je pourrais* : même si je pouvais.

5 *licence* : permission.

vois des gens qui s'entr'aiment en tout bien et en tout honneur. Que pourrions-nous faire à ceci ?

Cléante : Songe un peu, je te prie.

Mariane : Ouvre-nous des lumières[1].

670 **Élise** : Trouve quelque invention pour rompre ce que tu as fait.

Frosine : Ceci est assez difficile. (*À Mariane.*) Pour votre mère, elle n'est pas tout à fait déraisonnable, et peut-être pourrait-on la gagner, et la résoudre à transporter au fils le
675 don qu'elle veut faire au père. (*À Cléante.*) Mais le mal que j'y trouve, c'est que votre père est votre père.

Cléante : Cela s'entend[§].

Frosine : Je veux dire qu'il conservera du dépit, si l'on montre qu'on le refuse ; et qu'il ne sera point d'humeur
680 ensuite à donner son consentement à votre mariage. Il faudrait, pour bien faire, que le refus vînt de lui-même, et tâcher par quelque moyen de le dégoûter de votre personne.

Cléante : Tu as raison.

Frosine : Oui, j'ai raison, je le sais bien. C'est là ce qu'il
685 faudrait ; mais le diantre[§] est d'en pouvoir trouver les moyens. Attendez : si nous avions quelque femme un peu sur l'âge[2], qui fût de mon talent, et jouât assez bien pour contrefaire une dame de qualité, par le moyen d'un train fait à la hâte[3], et d'un bizarre nom de marquise, ou de
690 vicomtesse, que nous supposerions de la basse Bretagne, j'aurais assez d'adresse pour faire accroire à votre père que ce serait une personne riche, outre ses maisons, de cent

1 Ouvre-nous des lumières : donne-nous des idées.

2 *un peu sur l'âge* : d'un certain âge.

3 *un train fait à la hâte* : une suite de serviteurs constituée rapidement.

mille écus[1] en argent comptant; qu'elle serait éperdument amoureuse de lui, et souhaiterait de se voir sa femme,
1695 jusqu'à lui donner tout son bien par contrat de mariage[2]; et je ne doute point qu'il ne prêtât l'oreille à la proposition; car enfin il vous aime fort, je le sais; mais il aime un peu plus l'argent; et quand, ébloui de ce leurre[3], il aurait une fois consenti à ce qui vous touche, il importerait peu ensuite
1700 qu'il se désabusât, en venant à vouloir voir clair aux effets[4] de notre marquise.

Cléante : Tout cela est fort bien pensé.

Frosine : Laissez-moi faire. Je viens de me ressouvenir d'une de mes amies, qui sera notre fait[5].

1705 **Cléante** : Sois assurée, Frosine, de ma reconnaissance, si tu viens à bout de la chose. Mais, charmante Mariane, commençons, je vous prie, par gagner votre mère; c'est toujours beaucoup faire que de rompre ce mariage. Faites-y de votre part, je vous en conjure, tous les efforts qu'il vous sera pos-
1710 sible; servez-vous de tout le pouvoir que vous donne sur elle cette amitié[§] qu'elle a pour vous; déployez sans réserve les grâces éloquentes, les charmes tout-puissants que le Ciel a placés dans vos yeux et dans votre bouche; et n'oubliez rien, s'il vous plaît, de ces tendres paroles, de ces douces prières,
1715 et de ces caresses touchantes à qui je suis persuadé qu'on ne saurait rien refuser.

Mariane : J'y ferai tout ce que je puis, et n'oublierai aucune chose.

---

1 Approximativement 6 000 000 FF actuels ou 1 400 000 $.

2 Aucun notaire sérieux n'aurait accepté une telle clause, puisque traditionnellement chaque époux gardait son bien propre.

3 *leurre* : piège.

4 *qu'il se désabusât, en venant à vouloir voir clair aux effets* : qu'il fût détrompé, quand il voudra toucher la fortune.

5 *sera notre fait* : fera l'affaire.

SCÈNE 2 : Harpagon, Cléante, Mariane, Élise, Frosine

Harpagon, *à part, sans être aperçu* : Ouais ! mon fils baise
720 la main de sa prétendue[1] belle-mère, et sa prétendue belle-mère ne s'en défend pas fort. Y aurait-il quelque mystère là-dessous ?

Élise : Voilà mon père.

Harpagon : Le carrosse est tout prêt. Vous pouvez partir
725 quand il vous plaira.

Cléante : Puisque vous n'y allez pas, mon père, je m'en vais les conduire.

Harpagon : Non, demeurez. Elles iront bien toutes seules ; et j'ai besoin de vous.

SCÈNE 3 : Harpagon, Cléante

730 Harpagon : Ô çà, intérêt de belle-mère à part[2], que te semble à toi de cette personne ?

Cléante : Ce qui m'en semble ?

Harpagon : Oui, de son air, de sa taille, de sa beauté, de son esprit ?

735 Cléante : La, la.

1 *prétendue* : future. Au XVIIe siècle, la bienséance ne permettait pas de baiser la main de sa future belle-mère.

2 *intérêt de belle-mère à part* : si tu oublies qu'elle est ta future belle-mère.

Harpagon : Mais encore ?

Cléante : À vous en parler franchement, je ne l'ai pas trouvée ici ce que je l'avais crue. Son air est de franche coquette ; sa taille est assez gauche, sa beauté très médiocre,
1740 et son esprit des plus communs. Ne croyez pas que ce soit, mon père, pour vous en dégoûter ; car belle-mère pour belle-mère, j'aime autant celle-là qu'une autre.

Harpagon : Tu lui disais tantôt pourtant…

Cléante : Je lui ai dit quelques douceurs en votre nom,
1745 mais c'était pour vous plaire.

Harpagon : Si bien donc que tu n'aurais pas d'inclination pour elle ?

Cléante : Moi ? point du tout.

Harpagon : J'en suis fâché ; car cela rompt une pensée qui
1750 m'était venue dans l'esprit. J'ai fait, en la voyant ici, réflexion sur mon âge ; et j'ai songé qu'on pourra trouver à redire de me voir marier à une si jeune personne. Cette considération m'en faisait quitter le dessein ; et comme je l'ai fait demander, et que je suis pour elle engagé de parole, je te
1755 l'aurais donnée, sans l'aversion[§] que tu témoignes.

Cléante : À moi ?

Harpagon : À toi.

Cléante : En mariage ?

Harpagon : En mariage.

1760 Cléante : Écoutez : il est vrai qu'elle n'est pas fort à mon goût ; mais pour vous faire plaisir, mon père, je me résoudrai à l'épouser, si vous voulez.

Harpagon : Moi ? Je suis plus raisonnable que tu ne penses : je ne veux point forcer ton inclination.

765 **Cléante** : Pardonnez-moi, je me ferai cet effort pour l'amour de vous.

Harpagon : Non, non ; un mariage ne saurait être heureux où l'inclination n'est pas.

Cléante : C'est une chose, mon père, qui peut-être viendra
770 ensuite ; et l'on dit que l'amour est souvent un fruit du mariage.

Harpagon : Non : du côté de l'homme, on ne doit point risquer l'affaire, et ce sont des suites fâcheuses, où je n'ai garde de me commettre[1]. Si tu avais senti quelque inclina-
775 tion pour elle, à la bonne heure : je te l'aurais fait épouser, au lieu de moi ; mais cela n'étant pas, je suivrai mon premier dessein, et je l'épouserai moi-même.

Cléante : Hé bien ! mon père, puisque les choses sont ainsi, il faut vous découvrir mon cœur, il faut vous révéler notre
780 secret. La vérité est que je l'aime, depuis un jour que je la vis dans une promenade ; que mon dessein était tantôt de vous la demander pour femme ; et que rien ne m'a retenu que la déclaration de vos sentiments, et la crainte de vous déplaire.

Harpagon : Lui avez-vous rendu visite ?

785 **Cléante** : Oui, mon père.

Harpagon : Beaucoup de fois ?

Cléante : Assez, pour le temps qu'il y a[2].

Harpagon : Vous a-t-on bien reçu ?

Cléante : Fort bien, mais sans savoir qui j'étais ; et c'est ce
790 qui a fait tantôt la surprise de Mariane.

---

1 *me commettre* : m'aventurer.

2 *pour le temps qu'il y a* : pour le peu de temps qu'il y a entre notre première rencontre et maintenant.

Harpagon : Lui avez-vous déclaré votre passion, et le dessein où vous étiez de l'épouser ?

Cléante : Sans doute[§] ; et même j'en avais fait à sa mère quelque peu d'ouverture[1].

1795 **Harpagon** : A-t-elle écouté, pour sa fille, votre proposition ?

Cléante : Oui, fort civilement.

Harpagon : Et la fille correspond-elle[2] fort à votre amour ?

Cléante : Si j'en dois croire les apparences, je me persuade, mon père, qu'elle a quelque bonté pour moi.

1800 **Harpagon**, *bas, à part* : Je suis bien aise d'avoir appris un tel secret ; et voilà justement ce que je demandais. (*Haut.*) Oh sus[3] ! mon fils, savez-vous ce qu'il y a ? c'est qu'il faut songer, s'il vous plaît, à vous défaire de votre amour ; à cesser toutes vos poursuites auprès d'une personne que je 1805 prétends pour moi[4] ; et à vous marier dans peu avec celle qu'on vous destine.

Cléante : Oui, mon père, c'est ainsi que vous me jouez ! Hé bien ! puisque les choses en sont venues là, je vous déclare, moi, que je ne quitterai point la passion que j'ai pour Mar-1810 iane, qu'il n'y a point d'extrémité où je ne m'abandonne pour vous disputer sa conquête, et que si vous avez pour vous le consentement d'une mère, j'aurai d'autres secours peut-être qui combattront pour moi.

Harpagon : Comment, pendard ? tu as l'audace d'aller sur 1815 mes brisées[5] ?

1 *fait à sa mère quelque peu d'ouverture* : parlé un peu à sa mère.
2 *correspond-elle* : répond-elle.
3 *sus* : allons.
4 *je prétends pour moi* : j'ai l'intention d'épouser.
5 *aller sur mes brisées* : entrer en concurrence avec moi (terme de chasse).

CLÉANTE : C'est vous qui allez sur les miennes ; et je suis le premier en date.

HARPAGON : Ne suis-je pas ton père ? et ne me dois-tu pas respect !

820 CLÉANTE : Ce ne sont point ici des choses où les enfants soient obligés de déférer[1] aux pères ; et l'amour ne connaît personne.

HARPAGON : Je te ferai bien me connaître, avec de bons coups de bâton.

825 CLÉANTE : Toutes vos menaces ne feront rien.

HARPAGON : Tu renonceras à Mariane.

CLÉANTE : Point du tout.

HARPAGON : Donnez-moi un bâton tout à l'heure[§].

SCÈNE 4 : MAÎTRE JACQUES, HARPAGON, CLÉANTE

MAÎTRE JACQUES : Eh, eh, eh, Messieurs, qu'est-ce ci[2] ? à
830 quoi songez-vous ?

CLÉANTE : Je me moque de cela.

MAÎTRE JACQUES, *à Cléante* : Ah ! Monsieur, doucement.

HARPAGON : Me parler avec cette impudence[3] !

MAÎTRE JACQUES, *à Harpagon* : Ah ! Monsieur, de grâce.

1 *déférer* : obéir.
2 *qu'est-ce ci ?* : que se passe-t-il ici ?
3 *impudence* : effronterie.

1835 **Cléante** : Je n'en démordrai point.

Maître Jacques, *à Cléante* : Hé quoi ? à votre père ?

Harpagon : Laisse-moi faire.

Maître Jacques, *à Harpagon* : Hé quoi ? à votre fils ? Encore passe pour moi.

1840 **Harpagon** : Je te veux faire toi-même, maître Jacques, juge de cette affaire, pour montrer comme j'ai raison.

Maître Jacques : J'y consens. (*À Cléante.*) Éloignez-vous un peu.

Harpagon : J'aime une fille, que je veux épouser ; et le 1845 pendard a l'insolence de l'aimer avec moi, et d'y prétendre malgré mes ordres.

Maître Jacques : Ah ! il a tort.

Harpagon : N'est-ce pas une chose épouvantable, qu'un fils qui veut entrer en concurrence avec son père ? et ne doit-il 1850 pas, par respect, s'abstenir de toucher à mes inclinations[1] ?

Maître Jacques : Vous avez raison. Laissez-moi lui parler, et demeurez là.

Il vient trouver Cléante à l'autre bout du théâtre.

Cléante, *à maître Jacques, qui s'approche de lui* : Hé bien ! 1855 oui, puisqu'il veut te choisir pour juge, je n'y recule point ; il ne m'importe qui ce soit[2] ; et je veux bien aussi me rapporter à toi, maître Jacques, de notre différend.

Maître Jacques : C'est beaucoup d'honneur que vous me faites.

---

1 *mes inclinations* : celle que j'aime.

2 *il ne m'importe qui ce soit* : la personne choisie m'importe peu.

860 **Cléante** : Je suis épris d'une jeune personne qui répond à mes vœux§, et reçoit tendrement les offres de ma foi§ ; et mon père s'avise de venir troubler notre amour par la demande qu'il en fait faire.

Maître Jacques : Il a tort assurément.

865 **Cléante** : N'a-t-il point de honte, à son âge, de songer à se marier ? lui sied-il bien d'être encore amoureux ? et ne devrait-il pas laisser cette occupation aux jeunes gens ?

Maître Jacques : Vous avez raison, il se moque. Laissez-moi lui dire deux mots. (*Il revient à Harpagon.*) Hé bien ! 870 votre fils n'est pas si étrange que vous le dites, et il se met à la raison. Il dit qu'il sait le respect qu'il vous doit, qu'il ne s'est emporté que dans la première chaleur[1], et qu'il ne fera point refus de se soumettre à ce qu'il vous plaira, pourvu que vous vouliez le traiter mieux que vous ne faites, et lui 875 donner quelque personne en mariage dont il ait lieu d'être content.

Harpagon : Ah ! dis-lui, maître Jacques, que moyennant cela, il pourra espérer toutes choses de moi ; et que, hors Mariane, je lui laisse la liberté de choisir celle qu'il voudra.

880 **Maître Jacques.** *Il va au fils* : Laissez-moi faire. Hé bien ! votre père n'est pas si déraisonnable que vous le faites ; et il m'a témoigné que ce sont vos emportements qui l'ont mis en colère ; qu'il n'en veut seulement qu'à votre manière d'agir, et qu'il sera fort disposé à vous accorder ce que vous 885 souhaitez, pourvu que vous vouliez vous y prendre par la douceur, et lui rendre les déférences, les respects, et les soumissions qu'un fils doit à son père.

Cléante : Ah ! maître Jacques, tu lui peux assurer que, s'il m'accorde Mariane, il me verra toujours le plus soumis de

1 *chaleur* : mouvement de colère.

1890 tous les hommes; et que jamais je ne ferai aucune chose que par ses volontés.

Maître Jacques, *à Harpagon* : Cela est fait. Il consent à ce que vous dites.

Harpagon : Voilà qui va le mieux du monde.

1895 **Maître Jacques**, *à Cléante* : Tout est conclu. Il est content de vos promesses.

Cléante : Le Ciel en soit loué !

Maître Jacques : Messieurs, vous n'avez qu'à parler ensemble : vous voilà d'accord maintenant; et vous alliez 1900 vous quereller, faute de vous entendre.

Cléante : Mon pauvre maître Jacques, je te serai obligé toute ma vie.

Maître Jacques : Il n'y a pas de quoi, Monsieur.

Harpagon : Tu m'as fait plaisir, maître Jacques, et cela 1905 mérite une récompense. Va, je m'en souviendrai, je t'assure.

Il tire son mouchoir de sa poche[1]*, ce qui fait croire à maître Jacques qu'il va lui donner quelque chose.*

Maître Jacques : Je vous baise les mains[2].

SCÈNE 5 : Cléante, Harpagon

Cléante : Je vous demande pardon, mon père, de l'em-1910 portement que j'ai fait paraître.

1 Traditionnellement, le mouchoir qu'utilise Harpagon est **minuscule**.

2 *Je vous baise les mains* : formule de remerciement (ironique ici).

HARPAGON : Cela n'est rien.

CLÉANTE : Je vous assure que j'en ai tous les regrets du monde.

HARPAGON : Et moi, j'ai toutes les joies du monde de te voir
915 raisonnable.

CLÉANTE : Quelle bonté à vous d'oublier si vite ma faute !

HARPAGON : On oublie aisément les fautes des enfants, lorsqu'ils rentrent dans leur devoir.

CLÉANTE : Quoi ? ne garder aucun ressentiment de toutes
920 mes extravagances ?

HARPAGON : C'est une chose où[§] tu m'obliges par la soumission et le respect où tu te ranges.

CLÉANTE : Je vous promets, mon père, que, jusques au tombeau, je conserverai dans mon cœur le souvenir de vos
925 bontés.

HARPAGON : Et moi, je te promets qu'il n'y aura aucune chose que de moi tu n'obtiennes.

CLÉANTE : Ah ! mon père, je ne vous demande plus rien ; et c'est m'avoir assez donné que de me donner Mariane.

930 HARPAGON : Comment ?

CLÉANTE : Je dis, mon père, que je suis trop content de vous, et que je trouve toutes choses dans la bonté que vous avez de m'accorder Mariane.

HARPAGON : Qui est-ce qui parle de t'accorder Mariane ?

935 CLÉANTE : Vous, mon père.

HARPAGON : Moi !

CLÉANTE : Sans doute[§].

HARPAGON : Comment ? C'est toi qui as promis d'y renoncer.

CLÉANTE : Moi, y renoncer ?

1940 HARPAGON : Oui.

CLÉANTE : Point du tout.

HARPAGON : Tu ne t'es pas départi d'y prétendre[1] ?

CLÉANTE : Au contraire, j'y suis porté plus que jamais.

HARPAGON : Quoi ? pendard, derechef[2] ?

1945 CLÉANTE : Rien ne me peut changer.

HARPAGON : Laisse-moi faire, traître.

CLÉANTE : Faites tout ce qu'il vous plaira.

HARPAGON : Je te défends de me jamais voir.

CLÉANTE : À la bonne heure.

1950 HARPAGON : Je t'abandonne.

CLÉANTE : Abandonnez.

HARPAGON : Je te renonce[3] pour mon fils.

CLÉANTE : Soit.

HARPAGON : Je te déshérite.

1955 CLÉANTE : Tout ce que vous voudrez.

HARPAGON : Et je te donne ma malédiction.

CLÉANTE : Je n'ai que faire de vos dons.

---

1 *ne t'es pas départi d'y prétendre* : n'as pas renoncé à elle.

2 *derechef* : encore, de nouveau.

3 *renonce* : renie.

SCÈNE 6 : LA FLÈCHE, CLÉANTE

LA FLÈCHE, *sortant du jardin, avec une cassette*[§] : Ah ! Monsieur, que je vous trouve à propos ! suivez-moi vite.

960 CLÉANTE : Qu'y a-t-il ?

LA FLÈCHE : Suivez-moi, vous dis-je : nous sommes bien[1].

CLÉANTE : Comment ?

LA FLÈCHE : Voici votre affaire.

CLÉANTE : Quoi ?

965 LA FLÈCHE : J'ai guigné[2] ceci tout le jour.

CLÉANTE : Qu'est-ce que c'est ?

LA FLÈCHE : Le trésor de votre père, que j'ai attrapé.

CLÉANTE : Comment as-tu fait ?

LA FLÈCHE : Vous saurez tout. Sauvons-nous, je l'entends
970 crier.

SCÈNE 7 : HARPAGON

Il crie au voleur dès le jardin, et vient sans chapeau. Au voleur ! au voleur ! à l'assassin ! au meurtrier ! Justice, juste Ciel ! je suis perdu, je suis assassiné, on m'a coupé la gorge, on m'a dérobé mon argent. Qui peut-ce être ? Qu'est-il
975 devenu ? Où est-il ? Où se cache-t-il ? Que ferai-je pour le

1 *nous sommes bien* : tout va bien pour nous.

2 *guigné* : surveillé.

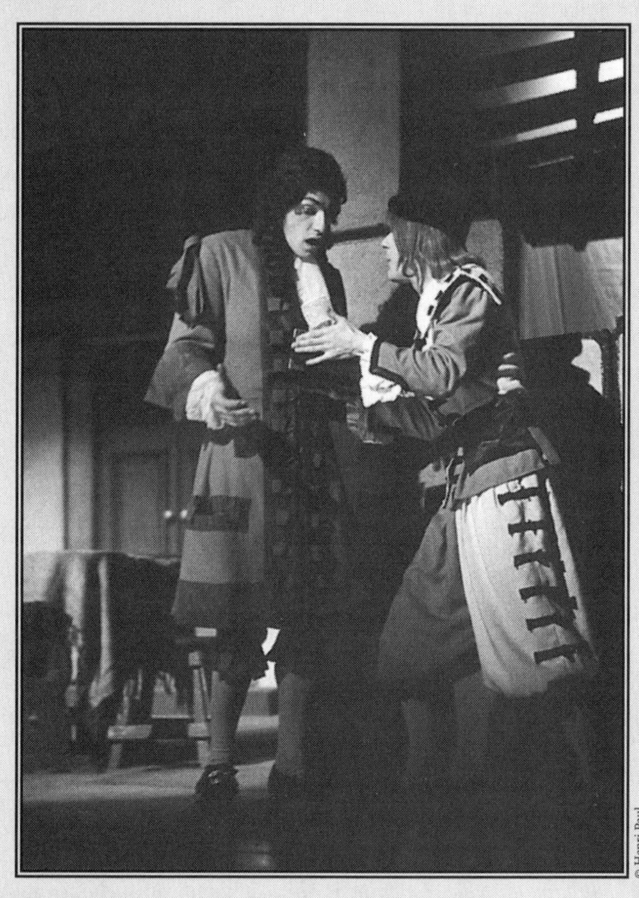

Cléante (Gabriel Gascon) : Qu'est-ce que c'est ?
La Flèche (Robert Gadouas) : Le trésor de votre père, que j'ai attrapé.

Acte iv, scène 6, lignes 1966 et 1967.

Théâtre du Nouveau Monde, 1951.
Mise en scène de Jean Gascon.

Harpagon (Luc Durand) : Au voleur ! au voleur ! à l'assassin ! au meurtrier ! Justice, juste Ciel !

Acte iv, scène 7, lignes 1971 à 1973.

Théâtre du Nouveau Monde, 1985.
Mise en scène d'Olivier Reichenbach.

trouver ? Où courir ? Où ne pas courir ? N'est-il point là ? N'est-il point ici ? Qui est-ce ? Arrête. Rends-moi mon argent, coquin[§]... (*Il se prend lui-même le bras.*) Ah ! c'est moi. Mon esprit est troublé, et j'ignore où je suis, qui je suis,
1980 et ce que je fais. Hélas ! mon pauvre argent, mon pauvre argent, mon cher ami ! on m'a privé de toi ; et puisque tu m'es enlevé, j'ai perdu mon support, ma consolation, ma joie ; tout est fini pour moi, et je n'ai plus que faire au monde : sans toi, il m'est impossible de vivre. C'en est fait,
1985 je n'en puis plus ; je me meurs, je suis mort, je suis enterré. N'y a-t-il personne qui veuille me ressusciter, en me rendant mon cher argent, ou en m'apprenant qui l'a pris ? Euh ? que dites-vous ? Ce n'est personne. Il faut, qui que ce soit qui ait fait le coup, qu'avec beaucoup de soin on ait épié l'heure ; et
5 1990 l'on a choisi justement le temps que je parlais à mon traître de fils. Sortons. Je veux aller quérir[§] la justice, et faire donner la question[1] à toute la maison : à servantes, à valets, à fils, à fille, et à moi aussi. Que de gens assemblés[2] ! Je ne jette mes regards sur personne qui ne me donne des soupçons, et
1995 tout me semble mon voleur. Eh ! de quoi est-ce qu'on parle là ? De celui qui m'a dérobé ? Quel bruit fait-on là-haut ? Est-ce mon voleur qui y est ? De grâce, si l'on sait des nouvelles de mon voleur, je supplie que l'on m'en dise. N'est-il point caché là parmi vous ? Ils me regardent tous, et se met-
2000 tent à rire. Vous verrez qu'ils ont part sans doute[§] au vol que l'on m'a fait. Allons vite, des commissaires[3], des archers[4], des prévôts[5], des juges, des gênes[6], des potences et des bourreaux. Je veux faire pendre tout le monde ; et si je ne retrouve mon argent, je me pendrai moi-même après.

1 *faire donner la question* : soumettre à la torture pour obtenir des aveux.
2 Les spectateurs.
3 *commissaires* : officiers de police chargés de l'enquête.
4 *archers* : policiers chargés des arrestations.
5 *prévôts* : chefs de police.
6 *gênes* : instruments de torture.

ACTE V.

SCENE PREMIERE.

HARPAGON, LE COMMISSAIRE, SON CLERC.

LE COMMISSAIRE.

AISSEZ-moy faire. Ie sçay mon mestier, Dieu mercy. Ce n'est pas d'aujourd'huy que ie me mesle de découurir des vols; & ie voudrois auoir autant de sacs de mille francs, que i'ay fait pendre de personues,

HARPAGON.

Tous les Magistrats sont interessez à prendre cette affaire en main; & si l'on ne me fait retrouuer mon argent, ie demanderay justice de la Iustice.

LE COMMISSAIRE.

Il faut faire toutes les poursuites requises. Vous dites qu'il y auoit dans cette Cassette?

HARPAGON.

Dix mille écus bien contez.

LE COMMISSAIRE.

Dix mille écus!

Reproduction de la page 128
de l'édition originale de 1669.

ACTE V

SCÈNE 1 : Harpagon, le Commissaire, son Clerc

2005 **Le Commissaire** : Laissez-moi faire, je sais mon métier, Dieu merci. Ce n'est pas d'aujourd'hui que je me mêle de découvrir des vols ; et je voudrais avoir autant de sacs de mille francs que j'ai fait pendre de personnes.

Harpagon : Tous les magistrats sont intéressés à prendre 2010 cette affaire en main ; et si l'on ne me fait retrouver mon argent, je demanderai justice de la justice.

Le Commissaire : Il faut faire toutes les poursuites requises. Vous dites qu'il y avait dans cette cassette[§]… ?

Harpagon : Dix mille écus[§] bien comptés.

2015 **Le Commissaire** : Dix mille écus !

Harpagon : Dix mille écus. (*En pleurant.*)

Le Commissaire : Le vol est considérable.

Harpagon : Il n'y a point de supplice assez grand pour l'énormité de ce crime ; et s'il demeure impuni, les choses 2020 les plus sacrées ne sont plus en sûreté.

Le Commissaire : En quelles espèces était cette somme ?

Harpagon : En bons louis d'or[1] et pistoles bien trébuchantes[2].

---

1 Le louis d'or (monnaie française) et la pistole (monnaie d'or espagnole) avaient la même valeur, soit 11 livres ou francs.

2 *trébuchantes* : dont le poids d'or fait pencher la balance, appelée trébuchet, puisqu'on leur donnait un léger supplément de poids en prévision de l'usure par frottement.

Le Commissaire : Qui soupçonnez-vous de ce vol ?

Harpagon : Tout le monde ; et je veux que vous arrêtiez
2025 prisonniers la ville et les faubourgs.

Le Commissaire : Il faut, si vous m'en croyez, n'effaroucher personne, et tâcher doucement d'attraper quelques preuves, afin de procéder après par la rigueur au recouvrement des deniers qui vous ont été pris.

SCÈNE 2 : Maître Jacques, Harpagon, le Commissaire, son Clerc

2030 **Maître Jacques**, *au bout du théâtre, en se retournant du côté dont il sort* : Je m'en vais revenir. Qu'on me l'égorge tout à l'heure[§] ; qu'on me lui fasse griller les pieds, qu'on me le mette dans l'eau bouillante, et qu'on me le pende au plancher[§].

2035 **Harpagon**, *à maître Jacques* : Qui ? celui qui m'a dérobé ?

Maître Jacques : Je parle d'un cochon de lait que votre intendant me vient d'envoyer, et je veux vous l'accommoder à ma fantaisie.

Harpagon : Il n'est pas question de cela ; et voilà Monsieur,
2040 à qui il faut parler d'autre chose.

Le Commissaire, *à maître Jacques* : Ne vous épouvantez point. Je suis homme à ne vous point scandaliser[1], et les choses iront dans la douceur.

Maître Jacques : Monsieur est de votre souper ?

1 *scandaliser* : causer du tort.

2045 **Le Commissaire** : Il faut ici, mon cher ami, ne rien cacher à votre maître.

Maître Jacques : Ma foi ! Monsieur, je montrerai tout ce que je sais faire, et je vous traiterai du mieux qu'il me sera possible.

2050 **Harpagon** : Ce n'est pas là l'affaire.

Maître Jacques : Si je ne vous fais pas aussi bonne chère que je voudrais, c'est la faute de Monsieur notre intendant, qui m'a rogné les ailes avec les ciseaux de son économie.

Harpagon : Traître, il s'agit d'autre chose que de souper ;
2055 et je veux que tu me dises des nouvelles de l'argent qu'on m'a pris.

Maître Jacques : On vous a pris de l'argent ?

Harpagon : Oui, coquin[§] ; et je m'en vais te pendre, si tu ne me le rends.

2060 **Le Commissaire**, *à Harpagon* : Mon Dieu ! ne le maltraitez point. Je vois à sa mine qu'il est honnête homme, et que sans se faire mettre en prison, il vous découvrira ce que vous voulez savoir. Oui, mon ami, si vous nous confessez la chose, il ne vous sera fait aucun mal, et vous serez récom-
2065 pensé comme il faut par votre maître. On lui a pris aujourd'hui son argent, et il n'est pas que vous ne sachiez[1] quelques nouvelles de cette affaire.

Maître Jacques, *à part* : Voici justement ce qu'il me faut pour me venger de notre intendant : depuis qu'il est entré
2070 céans[§], il est le favori, on n'écoute que ses conseils, et j'ai aussi sur le cœur les coups de bâton de tantôt.

Harpagon : Qu'as-tu à ruminer ?

---

1 *il n'est pas que vous sachiez* : il n'est pas possible que vous ne sachiez pas.

Le Commissaire, *à Harpagon* : Laissez-le faire : il se prépare à vous contenter, et je vous ai bien dit qu'il était honnête homme.

Maître Jacques : Monsieur, si vous voulez que je vous dise les choses, je crois que c'est Monsieur votre cher intendant qui a fait le coup.

Harpagon : Valère ?

Maître Jacques : Oui.

Harpagon : Lui, qui me paraît si fidèle ?

Maître Jacques : Lui-même. Je crois que c'est lui qui vous a dérobé.

Harpagon : Et sur quoi le crois-tu ?

Maître Jacques : Sur quoi ?

Harpagon : Oui.

Maître Jacques : Je le crois… sur ce que je le crois.

Le Commissaire : Mais il est nécessaire de dire les indices que vous avez.

Harpagon : L'as-tu vu rôder autour du lieu où j'avais mis mon argent ?

Maître Jacques : Oui, vraiment. Où était-il votre argent ?

Harpagon : Dans le jardin.

Maître Jacques : Justement : je l'ai vu rôder dans le jardin. Et dans quoi est-ce que cet argent était ?

Harpagon : Dans une cassette[§].

Maître Jacques : Voilà l'affaire : je lui ai vu une cassette.

HARPAGON : Et cette cassette[§], comment est-elle faite ? Je verrai bien si c'est la mienne.

2100 MAÎTRE JACQUES : Comment elle est faite ?

HARPAGON : Oui.

MAÎTRE JACQUES : Elle est faite… elle est faite comme une cassette.

LE COMMISSAIRE : Cela s'entend[§]. Mais dépeignez-la un
2105 peu, pour voir.

MAÎTRE JACQUES : C'est une grande cassette.

HARPAGON : Celle qu'on m'a volée est petite.

MAÎTRE JACQUES : Eh ! oui, elle est petite, si on le veut prendre par là ; mais je l'appelle grande pour ce qu'elle contient.

2110 LE COMMISSAIRE : Et de quelle couleur est-elle ?

MAÎTRE JACQUES : De quelle couleur ?

LE COMMISSAIRE : Oui.

MAÎTRE JACQUES : Elle est de couleur… là, d'une certaine couleur… Ne sauriez-vous m'aider à dire ?

2115 HARPAGON : Euh ?

MAÎTRE JACQUES : N'est-elle pas rouge ?

HARPAGON : Non, grise.

MAÎTRE JACQUES : Eh ! oui, gris-rouge : c'est ce que je voulais dire.

2120 HARPAGON : Il n'y a point de doute : c'est elle assurément. Écrivez, Monsieur, écrivez sa déposition. Ciel ! à qui désormais se fier ? Il ne faut plus jurer de rien ; et je crois après cela que je suis homme à me voler moi-même.

Harpagon (Jean Gascon) : Et cette cassette, comment est-elle faite ? Je verrai bien si c'est la mienne.
Maître Jacques (Guy Hoffman) : Comment elle est faite ?
Le Commissaire (Georges Groulx).

Acte v, scène 2, lignes 2098 à 2100.

Théâtre du Nouveau Monde, 1951.
Mise en scène de Jean Gascon.

MAÎTRE JACQUES, *à Harpagon* : Monsieur, le voici qui
2125 revient. Ne lui allez pas dire au moins que c'est moi qui vous ai découvert cela.

SCÈNE 3 : VALÈRE, HARPAGON, LE COMMISSAIRE, SON CLERC, MAÎTRE JACQUES

HARPAGON : Approche : viens confesser l'action la plus noire, l'attentat le plus horrible qui jamais ait été commis.

VALÈRE : Que voulez-vous, Monsieur ?

2130 HARPAGON : Comment, traître, tu ne rougis pas de ton crime ?

VALÈRE : De quel crime voulez-vous donc parler ?

HARPAGON : De quel crime je veux parler, infâme ! comme si tu ne savais pas ce que je veux dire. C'est en vain que tu
2135 prétendrais de le déguiser[1] : l'affaire est découverte, et l'on vient de m'apprendre tout. Comment abuser ainsi de ma bonté, et s'introduire exprès chez moi pour me trahir ? pour me jouer un tour de cette nature ?

VALÈRE : Monsieur, puisqu'on vous a découvert tout, je ne
2140 veux point chercher de détours et vous nier la chose.

MAÎTRE JACQUES, *à part* : Oh ! oh ! aurais-je deviné sans y penser ?

VALÈRE : C'était mon dessein de vous en parler, et je voulais attendre pour cela des conjonctures favorables ; mais
2145 puisqu'il est ainsi, je vous conjure de ne vous point fâcher, et de vouloir entendre mes raisons.

1 *prétendrais de le déguiser* : chercherais à le cacher.

HARPAGON : Et quelles belles raisons peux-tu me donner, voleur infâme ?

VALÈRE : Ah ! Monsieur, je n'ai pas mérité ces noms. Il est
150 vrai que j'ai commis une offense envers vous ; mais, après tout, ma faute est pardonnable.

HARPAGON : Comment, pardonnable ? Un guet-apens ? un assassinat de la sorte ?

VALÈRE : De grâce, ne vous mettez point en colère. Quand
155 vous m'aurez ouï§, vous verrez que le mal n'est pas si grand que vous le faites.

HARPAGON : Le mal n'est pas si grand que je le fais. Quoi ? mon sang, mes entrailles, pendard ?

VALÈRE : Votre sang, Monsieur, n'est pas tombé dans de
160 mauvaises mains. Je suis d'une condition§ à ne lui point faire de tort, et il n'y a rien en tout ceci que je ne puisse bien réparer.

HARPAGON : C'est bien mon intention, et que tu me restitues ce que tu m'as ravi.

165 VALÈRE : Votre honneur, Monsieur, sera pleinement satisfait.

HARPAGON : Il n'est pas question d'honneur là-dedans. Mais, dis-moi, qui t'a porté à cette action ?

VALÈRE : Hélas ! me le demandez-vous ?

HARPAGON : Oui, vraiment, je te le demande.

170 VALÈRE : Un dieu qui porte les excuses de tout ce qu'il fait faire : l'Amour.

HARPAGON : L'Amour ?

VALÈRE : Oui.

Harpagon : Bel amour, bel amour, ma foi ! l'amour de mes
2175 louis d'or.

Valère : Non, Monsieur, ce ne sont point vos richesses qui m'ont tenté ; ce n'est pas cela qui m'a ébloui, et je proteste de ne prétendre rien à tous vos biens[1], pourvu que vous me laissiez celui que j'ai.

2180 **Harpagon** : Non ferai[2], de par tous les diables ! je ne te le laisserai pas. Mais voyez quelle insolence de vouloir retenir le vol qu'il m'a fait !

Valère : Appelez-vous cela un vol ?

Harpagon : Si je l'appelle un vol ? Un trésor comme celui-
2185 là !

Valère : C'est un trésor, il est vrai, et le plus précieux que vous ayez sans doute[§] ; mais ce ne sera pas le perdre que de me le laisser. Je vous le demande à genoux, ce trésor plein de charmes ; et pour bien faire, il faut que vous me l'accordiez.

2190 **Harpagon** : Je n'en ferai rien. Qu'est-ce à dire cela ?

Valère : Nous nous sommes promis une foi[§] mutuelle, et avons fait serment de nous point abandonner.

Harpagon : Le serment est admirable, et la promesse plaisante !

2195 **Valère** : Oui, nous nous sommes engagés d'être l'un à l'autre à jamais.

Harpagon : Je vous en empêcherai bien, je vous assure.

Valère : Rien que la mort ne nous peut séparer.

1 *je proteste de ne prétendre rien à tous vos biens* : j'affirme que je n'en veux pas à votre argent.

2 *Non ferai* : je n'en ferai rien.

Harpagon : C'est être bien endiablé après mon argent.

200 **Valère** : Je vous ai déjà dit, Monsieur, que ce n'était point l'intérêt qui m'avait poussé à faire ce que j'ai fait. Mon cœur n'a point agi par les ressorts que vous pensez, et un motif plus noble m'a inspiré cette résolution.

Harpagon : Vous verrez que c'est par charité chrétienne 205 qu'il veut avoir mon bien ; mais j'y donnerai bon ordre ; et la justice, pendard effronté, me va faire raison[1] de tout.

Valère : Vous en userez comme vous voudrez, et me voilà prêt à souffrir toutes les violences qu'il vous plaira ; mais je vous prie de croire, au moins, que, s'il y a du mal, ce n'est 210 que moi qu'il en faut accuser, et que votre fille en tout ceci n'est aucunement coupable.

Harpagon : Je le crois bien, vraiment ; il serait fort étrange que ma fille eût trempé dans ce crime. Mais je veux ravoir mon affaire, et que tu me confesses en quel endroit tu me 215 l'as enlevée.

Valère : Moi ? je ne l'ai point enlevée, et elle est encore chez vous.

Harpagon, *bas, à part* : Ô ma chère cassette[§] ! (*Haut.*) Elle n'est point sortie de ma maison ?

220 **Valère** : Non, Monsieur.

Harpagon : Hé ! dis-moi donc un peu : tu n'y as point touché ?

Valère : Moi, y toucher ? Ah ! vous lui faites tort, aussi bien qu'à moi ; et c'est d'une ardeur toute pure et respectueuse 225 que j'ai brûlé pour elle.

1 *me va faire raison* : va me venger.

HARPAGON, *à part* : Brûlé pour ma cassette[§] !

VALÈRE : J'aimerais mieux mourir que de lui avoir fait paraître aucune pensée offensante : elle est trop sage et trop honnête pour cela.

2230 HARPAGON, *à part* : Ma cassette trop honnête !

VALÈRE : Tous mes désirs se sont bornés à jouir de sa vue ; et rien de criminel n'a profané[1] la passion que ses beaux yeux m'ont inspirée.

HARPAGON, *à part* : Les beaux yeux de ma cassette ! Il parle
2235 d'elle comme un amant d'une maîtresse.

VALÈRE : Dame Claude, Monsieur, sait la vérité de cette aventure, et elle vous peut rendre témoignage…

HARPAGON : Quoi ? ma servante est complice de l'affaire ?

VALÈRE : Oui, Monsieur, elle a été témoin de notre engage-
2240 ment ; et c'est après avoir connu l'honnêteté de ma flamme[2], qu'elle m'a aidé à persuader votre fille de me donner sa foi[§], et recevoir la mienne.

HARPAGON : Eh ? (*À part.*) Est-ce que la peur de la justice le fait extravaguer[3] ? (*À Valère.*) Que nous brouilles-tu ici de
2245 ma fille[4] ?

VALÈRE : Je dis, Monsieur, que j'ai eu toutes les peines du monde à faire consentir sa pudeur à ce que voulait mon amour.

HARPAGON : La pudeur de qui ?

---

1 *profané* : avili, dégradé.

2 *flamme* : amour (langage précieux).

3 *extravaguer* : divaguer.

4 *Que nous brouilles-tu ici de ma fille ?* : pourquoi nous embrouilles-tu en parlant de ma fille ?

250 **Valère** : De votre fille ; et c'est seulement depuis hier qu'elle a pu se résoudre à nous signer mutuellement une promesse de mariage.

Harpagon : Ma fille t'a signé une promesse de mariage !

Valère : Oui, Monsieur, comme de ma part je lui en ai 255 signé une.

Harpagon : Ô Ciel ! autre disgrâce[1] !

Maître Jacques, *au Commissaire* : Écrivez, Monsieur, écrivez.

Harpagon : Rengrégement[2] de mal ! surcroît de désespoir ! 260 Allons, Monsieur, faites le dû de votre charge[3], et dressez-lui-moi son procès, comme larron[4], et comme suborneur[5].

Valère : Ce sont des noms qui ne me sont point dus ; et quand on saura qui je suis…

SCÈNE 4 : Élise, Mariane, Frosine, Harpagon, Valère, maître Jacques, le Commissaire, son Clerc

Harpagon : Ah ! fille scélérate ! fille indigne d'un père 265 comme moi ! c'est ainsi que tu pratiques les leçons que je t'ai données ? Tu te laisses prendre d'amour pour un voleur infâme, et tu lui engages ta foi[§] sans mon consentement ?

1 *disgrâce* : malheur.
2 *Rengrégement* : augmentation.
3 *le dû de votre charge* : votre travail.
4 *larron* : voleur.
5 *suborneur* : séducteur.

Mais vous serez trompés[1] l'un et l'autre. (*À Élise.*) Quatre bonnes murailles[2] me répondront de ta conduite ; (*à Valère*)
2270 et une bonne potence me fera raison de ton audace.

Valère : Ce ne sera point votre passion[3] qui jugera l'affaire ; et l'on m'écoutera, au moins, avant que de me condamner.

Harpagon : Je me suis abusé de dire[4] une potence, et tu seras roué tout vif[5].

2275 **Élise**, *à genoux devant son père* : Ah ! mon père, prenez des sentiments un peu plus humains, je vous prie, et n'allez point pousser les choses dans les dernières violences du pouvoir paternel. Ne vous laissez point entraîner aux premiers mouvements de votre passion, et donnez-vous le
2280 temps de considérer ce que vous voulez faire. Prenez la peine de mieux voir celui dont vous vous offensez[6] : il est tout autre que vos yeux ne le jugent ; et vous trouverez moins étrange que je me sois donnée à lui, lorsque vous saurez que sans lui vous ne m'auriez plus il y a longtemps.
2285 Oui, mon père, c'est celui qui me sauva de ce grand péril que vous savez que je courus dans l'eau, et à qui vous devez la vie de cette même fille dont…

Harpagon : Tout cela n'est rien ; et il valait bien mieux pour moi qu'il te laissât noyer que de faire ce qu'il a fait.

2290 **Élise** : Mon père, je vous conjure, par l'amour paternel, de me…

---

1 *trompés* : déçus.

2 Harpagon songe à faire enfermer sa fille dans un couvent. La loi lui en donne le droit.

3 *passion* : colère.

4 *abusé de dire* : trompé en disant.

5 *roué tout vif* : condamné au supplice de la roue, sur laquelle on laissait mourir le condamné à qui l'on avait brisé les membres.

6 *dont vous vous offensez* : qui, selon vous, vous offense.

HARPAGON : Non, non, je ne veux rien entendre ; et il faut que la justice fasse son devoir.

MAÎTRE JACQUES, *à part* : Tu me payeras mes coups de
295 bâton.

FROSINE, *à part* : Voici un étrange embarras[1].

SCÈNE 5 : ANSELME, HARPAGON, ÉLISE, MARIANE, FROSINE, VALÈRE, MAÎTRE JACQUES, LE COMMISSAIRE, SON CLERC

ANSELME : Qu'est-ce, seigneur[§] Harpagon ? je vous vois tout ému.

HARPAGON : Ah ! seigneur Anselme, vous me voyez le plus
300 infortuné de tous les hommes ; et voici bien du trouble et du désordre au contrat que vous venez faire ! On m'assassine dans le bien, on m'assassine dans l'honneur[2] ; et voilà un traître, un scélérat, qui a violé tous les droits les plus saints, qui s'est coulé[3] chez moi sous le titre de domestique, pour
305 me dérober mon argent et pour me suborner[4] ma fille.

VALÈRE : Qui songe à votre argent, dont vous me faites un galimatias[5] ?

HARPAGON : Oui, ils se sont donné l'un et l'autre une promesse de mariage. Cet affront vous regarde, seigneur

1 *embarras* : imbroglio, situation compliquée et confuse.
2 *On m'assassine dans le bien, on m'assassine dans l'honneur* : on vole mon argent, on déshonore ma fille.
3 *coulé* : insinué adroitement.
4 *suborner* : séduire.
5 *galimatias* : discours embrouillé.

2310 Anselme, et c'est vous qui devez vous rendre partie contre lui[1], et faire toutes les poursuites de la justice, pour vous venger de son insolence.

Anselme : Ce n'est pas mon dessein de me faire épouser par force, et de rien prétendre à un cœur[2] qui se serait donné ;
2315 mais pour vos intérêts, je suis prêt à les embrasser ainsi que les miens propres.

Harpagon : Voilà Monsieur qui est un honnête commissaire, qui n'oubliera rien, à ce qu'il m'a dit, de la fonction de son office. (*Au Commissaire, montrant Valère.*)
2320 Chargez-le[3] comme il faut, Monsieur, et rendez les choses bien criminelles.

Valère : Je ne vois pas quel crime on me peut faire de la passion que j'ai pour votre fille ; et le supplice où[§] vous croyez que je puisse être condamné pour notre engagement,
2325 lorsqu'on saura ce que je suis…

Harpagon : Je me moque de tous ces contes ; et le monde aujourd'hui n'est plein que de ces larrons de noblesse[4], que de ces imposteurs, qui tirent avantage de leur obscurité, et s'habillent insolemment du premier nom illustre qu'ils
2330 s'avisent de prendre.

Valère : Sachez que j'ai le cœur trop bon[5] pour me parer de quelque chose qui ne soit point à moi, et que tout Naples peut rendre témoignage de ma naissance.

1 *vous rendre partie contre lui* : l'attaquer en justice. Les frais seraient donc à la charge d'Anselme.

2 *de rien prétendre à un cœur* : d'exiger quelque chose d'une personne.

3 *Chargez-le* : accusez-le.

4 *larrons de noblesse* : faux nobles. Ils étaient nombreux.

5 *bon* : noble.

ANSELME : Tout beau[1] ! prenez garde à ce que vous allez
335 dire. Vous risquez ici plus que vous ne pensez ; et vous parlez devant un homme à qui tout Naples est connu, et qui peut aisément voir clair dans l'histoire que vous ferez.

VALÈRE, *en mettant fièrement son chapeau*[2] : Je ne suis point homme à rien craindre, et si Naples vous est connu, vous
340 savez qui était Dom Thomas d'Alburcy.

ANSELME : Sans doute[§], je le sais ; et peu de gens l'ont connu mieux que moi.

HARPAGON : Je ne me soucie ni de Dom Thomas ni de Dom Martin[3]. (*Harpagon, voyant deux chandelles allumées,*
345 *en souffle une*[4].)

ANSELME : De grâce, laissez-le parler, nous verrons ce qu'il en veut dire.

VALÈRE : Je veux dire que c'est lui qui m'a donné le jour.

ANSELME : Lui ?

350 VALÈRE : Oui.

---

1 *Tout beau !* : attention !

2 Un gentilhomme garde son chapeau devant un autre gentilhomme.

3 Harpagon feint de croire qu'on parle de moines bénédictins qui eux aussi font précéder leur nom de *dom*.

4 À cette didascalie de 1682 est rattaché un jeu de scène qui remonte peut-être à l'époque de Molière et que décrit, fin du XVIIIe siècle, l'acteur Grandmesnil (1758-1832) : « Les comédiens ont imaginé le jeu de la bougie pour égayer une scène que le public n'écoute jamais sans quelque impatience. Voici comment ce jeu s'exécute : Harpagon éteint une de ces deux bougies placées sur la table du notaire. À peine a-t-il tourné le dos que maître Jacques la rallume. Harpagon, la voyant brûler de nouveau, s'en empare, l'éteint et la garde dans sa main. Mais pendant qu'il écoute, les deux bras croisés, la conversation d'Anselme et de Valère, maître Jacques passe derrière lui et rallume la bougie. Un instant après, Harpagon décroise les bras, voit la bougie brûler, la souffle et la met dans la poche droite de son haut-de-chausses où maître Jacques ne manque pas de la rallumer une quatrième fois. Enfin la main d'Harpagon rencontre la flamme de la bougie… » (G. Couton, *Molière. Œuvres complètes*, t. II, p. 1396-1397).

Anselme : Allez; vous vous moquez. Cherchez quelque autre histoire, qui vous puisse mieux réussir, et ne prétendez pas vous sauver sous cette imposture.

Valère : Songez à mieux parler. Ce n'est point une imposture; et je n'avance rien qu'il ne me soit aisé de justifier. 2355

Anselme : Quoi ? vous osez vous dire fils de Dom Thomas d'Alburcy ?

Valère : Oui, je l'ose; et je suis prêt de[1] soutenir cette vérité contre qui que ce soit.

2360 **Anselme** : L'audace est merveilleuse. Apprenez, pour vous confondre, qu'il y a seize ans pour le moins que l'homme dont vous nous parlez périt sur mer avec ses enfants et sa femme, en voulant dérober leur vie[2] aux cruelles persécutions qui ont accompagné les désordres de Naples[3], et qui en firent exiler plusieurs nobles familles. 2365

Valère : Oui; mais apprenez, pour vous confondre, vous, que son fils, âgé de sept ans, avec un domestique, fut sauvé de ce naufrage par un vaisseau espagnol, et que ce fils sauvé est celui qui vous parle; apprenez que le capitaine de ce vaisseau, touché de ma fortune§, prit amitié§ pour moi; qu'il me fit élever comme son propre fils, et que les armes furent mon emploi dès que je m'en trouvai capable; que j'ai su depuis peu que mon père n'était point mort, comme je l'avais toujours cru; que passant ici pour l'aller chercher, une aventure, par le Ciel concertée[4], me fit voir la charmante Élise; que cette vue me rendit esclave de ses 2370 2375

1 *prêt de* : prêt à.

2 *dérober leur vie* : échapper.

3 Allusion à la révolte de Masaniello (juillet 1647-avril 1648) contre la domination espagnole pendant laquelle plusieurs familles nobles napolitaines furent persécutées et s'exilèrent.

4 *concertée* : préparée.

L’acteur Grandmesnil (1758-1832) dans
le rôle d’Harpagon.
À noter la chandelle dans la poche d’Harpagon et,
en arrière-plan, maître Jacques tenant un chandelier.
(Voir la note 4, à la page 123.)

beautés; et que la violence de mon amour, et les sévérités de son père, me firent prendre la résolution de m'introduire dans son logis, et d'envoyer un autre à la quête de mes parents.

2380 **ANSELME** : Mais quels témoignages encore, autres que vos paroles, nous peuvent assurer que ce ne soit point une fable que vous ayez bâtie sur une vérité ?

VALÈRE : Le capitaine espagnol; un cachet de rubis qui était à mon père; un bracelet d'agate que ma mère m'avait mis au
2385 bras; le vieux Pedro, ce domestique qui se sauva avec moi du naufrage.

MARIANE : Hélas ! à vos paroles je puis ici répondre, moi, que vous n'imposez point[1]; et tout ce que vous dites me fait connaître clairement que vous êtes mon frère.

2390 **VALÈRE** : Vous ma sœur ?

MARIANE : Oui. Mon cœur s'est ému dès le moment que[§] vous avez ouvert la bouche; et notre mère, que vous allez ravir, m'a mille fois entretenue des disgrâces[§] de notre famille. Le Ciel ne nous fit point aussi[2] périr dans ce triste
2395 naufrage; mais il ne nous sauva la vie que par la perte de notre liberté; et ce furent des corsaires qui nous recueillirent, ma mère et moi, sur un débris de notre vaisseau. Après dix ans d'esclavage, une heureuse fortune[§] nous rendit notre liberté, et nous retournâmes dans Naples, où nous
2400 trouvâmes tout notre bien vendu, sans y pouvoir trouver des nouvelles de notre père. Nous passâmes à Gênes, où ma mère alla ramasser quelques malheureux restes d'une succession qu'on avait déchirée[3]; et de là, fuyant la barbare injustice de ses parents, elle vint en ces lieux, où elle n'a
2405 presque vécu que d'une vie languissante.

1 *n'imposez point* : ne mentez pas.

2 *aussi* : nous non plus.

3 *déchirée* : pillée et dispersée.

Anselme : Ô Ciel ! quels sont les traits de ta puissance ! et que tu fais bien voir qu'il n'appartient qu'à toi de faire des miracles ! Embrassez-moi, mes enfants, et mêlez tous deux vos transports[1] à ceux de votre père.

2410 **Valère** : Vous êtes notre père ?

Mariane : C'est vous que ma mère a tant pleuré ?

Anselme : Oui, ma fille, oui, mon fils, je suis Dom Thomas d'Alburcy, que le Ciel garantit des ondes[2] avec tout l'argent qu'il portait, et qui vous ayant tous crus morts durant plus 2415 de seize ans, se préparait, après de longs voyages, à chercher dans l'hymen[§] d'une douce et sage personne la consolation de quelque nouvelle famille. Le peu de sûreté[3] que j'ai vu pour ma vie à retourner à Naples m'a fait y renoncer pour toujours ; et ayant su trouver moyen d'y faire vendre ce que 2420 j'avais, je me suis habitué[4] ici, où, sous le nom d'Anselme, j'ai voulu m'éloigner[5] les chagrins de cet autre nom qui m'a causé tant de traverses[§].

Harpagon, *à Anselme* : C'est là votre fils ?

Anselme : Oui.

2425 **Harpagon** : Je vous prends à partie[6], pour me payer dix mille écus[§] qu'il m'a volés.

Anselme : Lui, vous avoir volé ?

Harpagon : Lui-même.

Valère : Qui vous dit cela ?

---

1 *transports* : élans de joie.
2 *garantit des ondes* : sauva du naufrage.
3 *sûreté* : sécurité.
4 *habitué* : installé.
5 *m'éloigner* : éloigner de moi.
6 *prends à partie* : intente un procès.

2430 HARPAGON : Maître Jacques.

VALÈRE, *à maître Jacques* : C'est toi qui le dis ?

MAÎTRE JACQUES : Vous voyez que je ne dis rien.

HARPAGON : Oui, voilà Monsieur le Commissaire qui a reçu sa déposition.

2435 VALÈRE : Pouvez-vous me croire capable d'une action si lâche ?

HARPAGON : Capable ou non capable, je veux ravoir mon argent.

SCÈNE 6 : CLÉANTE, VALÈRE, MARIANE, ÉLISE, FROSINE, HARPAGON, ANSELME, MAÎTRE JACQUES, LA FLÈCHE, LE COMMISSAIRE, SON CLERC

CLÉANTE : Ne vous tourmentez point, mon père, et n'ac-
2440 cusez personne. J'ai découvert des nouvelles de votre affaire, et je viens ici pour vous dire que, si vous voulez vous résoudre à me laisser épouser Mariane, votre argent vous sera rendu.

HARPAGON : Où est-il ?

2445 CLÉANTE : Ne vous en mettez point en peine : il est en lieu dont je réponds, et tout ne dépend que de moi. C'est à vous de me dire à quoi vous vous déterminez ; et vous pouvez choisir, ou de me donner Mariane, ou de perdre votre cassette[§].

2450 HARPAGON : N'en a-t-on rien ôté ?

Cléante : Rien du tout. Voyez si c'est votre dessein de souscrire à ce mariage, et de joindre votre consentement à celui de sa mère, qui lui laisse la liberté de faire un choix entre nous deux.

2455 **Mariane,** *à Cléante* : Mais vous ne savez pas que ce n'est pas assez que ce consentement, et que le Ciel, (*montrant Valère*) avec un frère que vous voyez, vient de me rendre (*montrant Anselme*) un père dont vous avez à m'obtenir.

Anselme : Le Ciel, mes enfants, ne me redonne point à vous
2460 pour être contraire à vos vœux[§]. Seigneur[§] Harpagon, vous jugez bien que le choix d'une jeune personne tombera sur le fils plutôt que sur le père. Allons, ne vous faites point dire ce qu'il n'est pas nécessaire d'entendre, et consentez ainsi que moi à ce double hyménée[1].

2465 **Harpagon** : Il faut, pour me donner conseil, que je voie ma cassette[§].

Cléante : Vous la verrez saine[2] et entière.

Harpagon : Je n'ai point d'argent à donner en mariage à mes enfants.

2470 **Anselme** : Hé bien ! j'en ai pour eux ; que cela ne vous inquiète point.

Harpagon : Vous obligerez-vous à faire tous les frais de ces deux mariages ?

Anselme : Oui, je m'y oblige ; êtes-vous satisfait ?

2475 **Harpagon** : Oui, pourvu que pour les noces vous me fassiez faire un habit.

1 *hyménée* : mariage.

2 *saine* : intacte.

Anselme : D'accord. Allons jouir de l'allégresse que cet heureux jour nous présente.

Le Commissaire : Holà ! Messieurs, holà ! tout doucement,
2480 s'il vous plaît : qui me payera mes écritures[1] ?

Harpagon : Nous n'avons que faire de vos écritures.

Le Commissaire : Oui ! mais je ne prétends pas, moi, les avoir faites pour rien.

Harpagon, *montrant maître Jacques* : Pour votre paiement,
2485 voilà un homme que je vous donne à pendre.

Maître Jacques : Hélas ! comment faut-il donc faire ? On me donne des coups de bâton pour dire vrai[2], et on me veut pendre pour mentir.

Anselme : Seigneur[§] Harpagon, il faut lui pardonner cette
2490 imposture.

Harpagon : Vous payerez donc le Commissaire ?

Anselme : Soit. Allons vite faire part de notre joie à votre mère.

Harpagon : Et moi, voir ma chère cassette[§].

J B.P. Molière

1 *écritures* : dépositions d'Harpagon, de maître Jacques et de Valère que le commissaire a consignées par écrit.

2 *pour dire vrai* : parce que je dis la vérité.

Salle du Palais-Royal, à Paris, où eut lieu
la première représentation de *L'Avare*, le 9 septembre 1668.

Molière.

Présentation de l'œuvre

? angoisse ou peur indique

! renforce le caractère émotif de l'exclamation

Gravure de I. Sylvestre, qui illustre «Les plaisirs de l'Isle enchantée» (1664), divertissements royaux que Louis XIV avait demandé à Molière d'animer.

Au XVIIe siècle, Molière écrit une pièce de théâtre intitulé L'avare. Cette pièce du classicisme est un mélange des genres comique et drame qui a comme but de plaire et d'instruire

Dans l'extrait où Harpagon n'a ~~qu'en~~ qué en tête que tout le monde est coupable et que son trait avarisme est tellement utilisé qu'il devient aux seuil de la folie.

dire les phrases

Molière, son époque et son œuvre

LA FRANCE EN 1668

La politique

En 1668, année de la création de *L'Avare*, Louis XIV (1638-1715) est roi depuis 1654, mais il règne effectivement sur la France depuis seulement sept ans, soit depuis la mort de Mazarin, son ministre. Le souvenir de La Fronde (1648-1652), période durant laquelle les Grands se sont révoltés contre le pouvoir royal et qui a obligé l'enfant qu'il était alors à fuir Paris, l'a marqué. Devenu roi, il consolide la monarchie absolue et surveille étroitement les nobles. Il les occupe grâce aux fastes de la vie de cour. Il leur offre des divertissements dont Molière est l'un des principaux artisans de 1664 à sa mort, en 1673. Louis XIV fait aussi depuis sept ans bâtir Versailles, où il s'installera en 1672 et qui deviendra le symbole de la puissance française au XVIIe siècle.

La société

En 1668, la société française est très hiérarchisée. Au sommet, le roi règne, détenteur de toute autorité. Immédiatement sous lui, les nobles, dont il s'entoure mais dont il se méfie, détiennent de par leur naissance le monopole des hautes fonctions militaires et ecclésiastiques. Puis vient la bourgeoisie, nouvelle classe sociale à laquelle le roi confie la gestion des affaires de l'État. Colbert (1619-1683), son ministre, en est le prototype. Sous sa gouverne, l'économie française est en pleine expansion. Harpagon fait partie de cette classe émergente que la noblesse méprise.

> « L'avarice bourgeoise, en ce temps-là, s'oppose comme un reproche à la prodigalité des aristocrates. Les nobles méprisent les bourgeois, qui sentent la boutique et le comptoir. Les bourgeois se vengent en ruinant les nobles et en les regardant galoper à leur ruine. Harpagon est le représentant forcené de la classe qui amasse, à laquelle Louis XIV donne le pouvoir.

En crispant ses doigts sur sa cassette, il essaie de retenir cette puissance que la jeunesse et l'amour lui arrachent[1].»

En bas de la pyramide sociale se trouve 95 % de la population, à la merci des classes supérieures.

Les idéologies

En 1668, deux partis idéologiques s'affrontent : les libertins et les dévots. Les premiers revendiquent la liberté de pensée, tandis que les seconds souhaitent que tous se conforment aux normes religieuses. Les libertins s'inspirent du vent de liberté qui a soufflé sur la société pendant la Renaissance.

La réforme protestante du XVIe siècle a entraîné une contre-réforme catholique. Dans le but de renouveler le catholicisme, saint Vincent de Paul (1581-1660) se fait l'apôtre de la charité chrétienne auprès des plus démunis, tandis que saint François de Sales (1567-1622) tente de promouvoir la dévotion chez les nobles et les bourgeois. De ce renouveau catholique naît le parti dévot, dont la société secrète, la Compagnie du Saint-Sacrement, lutte pour étendre la mainmise religieuse sur l'ensemble de la société.

Bien que le catholicisme soit la religion de la France, face à un roi jeune qui veut s'amuser, les libertins ont une certaine liberté. Mais à mesure que le roi vieillira, la rigueur catholique représentée par le parti dévot deviendra plus forte.

La littérature

En 1668, la littérature se plie aux règles du classicisme : imitation des Anciens, les Latins et les Grecs ; primauté de la raison, le «je» est haïssable ; respect des règles, comme la règle des trois unités au théâtre. L'œuvre littéraire doit plaire et instruire tout en se pliant aux critères de vraisemblance — faut peindre d'après nature — et de bienséance — il

1 Paul Guth, *Histoire de la littérature française, des origines épiques au siècle des Lumières*, Paris, Fayard, 1967.

faut respecter la morale. L'écrivain classique n'est guère contestataire, au contraire, il veut être reconnu par le pouvoir, par le roi, être pensionné et nommé à l'Académie française qu'a fondée Richelieu en 1635.

Le théâtre

En 1668, à Paris, quatre troupes principales se partagent trois salles. La **troupe royale de l'Hôtel de Bourgogne** reçoit du roi une pension de 12 000 livres. Spécialisée dans la tragédie, elle prône une diction déclamatoire dont Molière se moque, privilégiant chez ses comédiens une diction plus naturelle. La **troupe du roi au Marais** n'est pas subventionnée ; elle privilégie les pièces à grand déploiement. La **troupe du roi au Palais-Royal**, dont Molière est le directeur, le metteur en scène et l'auteur attitré, tire sa renommée de la comédie. Molière reçoit 6 000 livres du roi. Il partage sa salle avec la **troupe des Italiens**, dirigée par Tiberio Fiorelli (1608-1694), et qui défend, en italien, les couleurs de la commedia dell'arte. La troupe de Molière joue les jours « ordinaires », soit les mardi, vendredi et dimanche, tandis que la troupe de Fiorelli occupe les jours « extraordinaires », soit les lundi, mercredi, jeudi et samedi. La troupe de Scaramouche, pseudonyme de Fiorelli, reçoit 16 000 livres du roi.

Des affiches placardées aux carrefours ou encore un comédien qui se fait crieur public, avant le début de la pièce, annoncent les prochains spectacles. Les représentations ont lieu dans l'après-midi, avant la noirceur, pour garantir la sécurité des spectateurs. La salle rectangulaire du Palais-Royal contient 1 500 spectateurs, la plupart debout. Des loges et des galeries accueillent surtout des femmes. Sur la scène, en plus des comédiens, les nobles ont droit à une place assise. L'assistance est bruyante, et les bagarres ne sont pas rares. Quant à l'intransigeance de l'Église envers les comédiens, elle a diminué, d'autant que le roi les reçoit, les pensionne et les apprécie.

MOLIÈRE

Molière choisit le métier de comédien

À la première de *L'Avare*, le 9 septembre 1668, Molière, de son vrai nom Jean-Baptiste Poquelin, est célèbre. Il a 46 ans. Il est né en janvier 1622, dans une famille aisée. Son père, Jean Poquelin, tapissier de profession, a acheté en 1631 une charge de tapissier et valet de chambre ordinaire du roi[1]. Après des études chez les jésuites (1636-1640), au collège de Clermont (aujourd'hui lycée Louis-le-Grand), le futur Molière entreprend des études en droit. À la fonction sûre de tapissier du roi que pourrait lui léguer son père, il préfère les aléas du métier de comédien, bien que la profession soit encore mal vue à l'époque. En juin 1643, il fonde, avec Madeleine Béjart, l'Illustre-Théâtre qui veut concurrencer les troupes établies de l'époque, l'Hôtel de Bourgogne et le Marais. Mais la troupe connaît des difficultés financières. Emprisonné quelques jours pour dettes, Molière quitte Paris en 1645, pour la province.

Molière part en tournée

Commence alors une tournée de treize années à travers la province française pendant lesquelles Molière apprendra non seulement le métier de comédien, mais aussi celui de metteur en scène, de directeur de troupe et d'auteur. De simple comédien dans la troupe de Dufresne protégée par le duc d'Épernon en 1646, il redevient directeur d'une troupe protégée par le prince de Conti en 1650. De cette époque datent ses premières comédies, dont *L'Étourdi* (1655) et *Le Dépit amoureux* (1656).

---

1 Il a la charge, avec d'autres tapissiers, de la confection et de l'entretien du mobilier et des accessoires de la maison du roi.

Molière revient à Paris

En octobre 1658, la troupe est de retour à Paris, sous la protection de Monsieur, frère du roi. Molière joue devant Louis XIV sa comédie *Le Docteur amoureux* et la tragédie *Nicomède*, de Corneille. Il obtient du roi, à cette occasion, le Petit-Bourbon, salle que la troupe de Molière partage avec les comédiens italiens. Un an plus tard, en 1659, Molière connaît un premier succès avec sa pièce *Les Précieuses ridicules*, succès confirmé en 1662 avec *L'École des femmes*.

Molière lutte contre le parti dévot

Parce que Molière s'en est pris, dans sa pièce *Tartuffe* (1664), à l'hypocrisie religieuse, Molière est en butte aux attaques du parti dévot. Malgré la protection du roi qui le pensionne depuis 1662 et qui a fait de sa troupe la troupe du roi en 1665, sa pièce *Dom Juan* est interdite, et *Tartuffe* ne peut être montée qu'en février 1669. Pour arriver à ses fins, le parti dévot non seulement taxe Molière d'irréligion et de libertinage, mais colporte les pires calomnies sur son compte, laissant entre autres sous-entendre qu'Armande Béjart, que Molière a épousée en 1662, n'est pas la sœur de sa complice de toujours, Madeleine Béjart, mais sa fille, et que le père ne serait nul autre que Molière lui-même. Sur Armande Béjart, sa femme, de vingt ans plus jeune que lui, on laisse entendre qu'elle a de multiples amants.

Molière devient célèbre

Malgré ces luttes, et aussi à cause d'elles, Molière devient célèbre. À la cour, il est responsable des divertissements royaux et, à la ville, chaque nouvelle pièce est impatiemment attendue. Ses succès sont nombreux, dont *Le Misanthrope* (1666), *Tartuffe* (1669), *Le Bourgeois gentilhomme* (1670), *Les Femmes savantes* (1672), *Le Malade imaginaire* (1673).

Le 17 février 1673, durant la quatrième représentation du *Malade imaginaire*, Molière est pris d'un violent malaise. Ramené chez lui, il meurt.

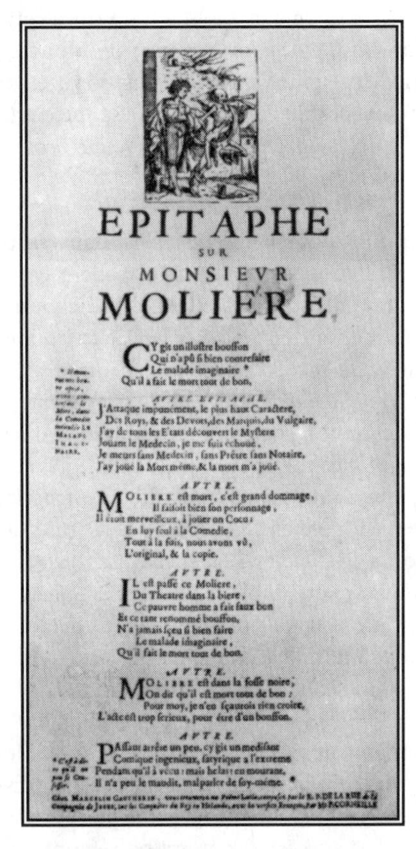

EPITAPHE
SUR
MONSIEUR
MOLIERE

CY gît un illustre bouffon
Qui n'a pû si bien contrefaire
Le malade imaginaire *
Qu'il a fait le mort tout de bon.

AUTRE EPITAPHE.

J'Attaque impunément, le plus haut Caractere,
Des Roys, & des Devots, des Marquis, du Vulgaire,
J'ay de tous les Etats découvert le Mystere
Joüant le Medecin, je me suis échoüé,
Je meurs sans Medecin, sans Prêtre sans Notaire,
J'ay joüé la Mort même, & la mort m'a joüé.

AUTRE.

MOLIERE est mort, c'est grand dommage,
Il faisoit bien son personnage,
Il étoit merveilleux, à joüer un Cocu :
En luy seul à la Comedie,
Tout à la fois, nous avons vû,
L'original, & la copie.

AUTRE.

IL est passé ce Moliere,
Du Theatre dans la biere,
Ce pauvre homme a fait faux bon
Et ce tant renommé bouffon,
N'a jamais sçeu si bien faire
Le malade imaginaire,
Qu'il fait le mort tout de bon.

AUTRE.

MOLIERE est dans la fosse noire;
On dit qu'il est mort tout de bon :
Pour moy, je n'en sçaurois rien croire,
L'acte est trop serieux, pour être d'un bouffon.

AUTRE.

PAssant arrête un peu, cy gît un medisant
Comique ingenieux, satyrique à l'extreme
Pendant qu'il à vécu : mais helas ! en mourant,
Il n'a peu le maudit, mal parler de soy-même. *

La mort de Molière, le 17 février 1673, suscite plusieurs réactions qui prennent la forme d'épitaphes, à la mode au XVIIe siècle.

L'AVARE

Depuis 1664, date à laquelle le roi lui a demandé d'animer «Les plaisirs de l'Isle enchantée, ou les festes et divertissements du Roy» (voir la photo, p. 134), Molière mène une double carrière : plaire à Louis XIV et à sa cour et attirer un public nombreux dans son théâtre, c'est-à-dire depuis 1660 au Palais-Royal. L'année 1668 est chargée pour lui. En janvier, il présente *Amphitryon*, au Palais-Royal. Pour souligner la paix d'Aix-la-Chapelle, il compose *Georges Dandin*, pièce qui est présentée dans le parc de Versailles au «divertissement royal» du 18 juillet. Sa pièce *Tartuffe*, qu'il souhaite monter, est toujours interdite. Il compose donc *L'Avare*. Jouée pour la première fois le 9 septembre 1668, elle n'a guère de succès. Au dire de Racine, en querelle avec Molière, seul Boileau aurait ri : «Je vous vis dernièrement à *L'Avare*, et vous riiez tout seul sur le théâtre.» Ce à quoi Boileau, grand ami de Molière, réplique : «Je vous estime trop pour croire que vous n'y ayez pas ri, du moins intérieurement.» Après neuf représentations, Molière retire la pièce. Il la remet à l'affiche en décembre, mais accompagnée d'une farce, *Le Fin Lourdaud*, aujourd'hui disparue.

Plusieurs raisons peuvent expliquer cet échec. Le fait que la pièce soit écrite en prose en serait la première cause. Dans l'esprit du temps, une comédie en cinq actes commande des vers. Bien que Robinet affirme que «nonobstant les goûts divers, / Cette prose est si théâtrale / Qu'en douceur les vers elle égale[1]», elle ne semble pas avoir emporté l'adhésion des contemporains. «Comment, disait M. le Duc de X; Molière est-il fou et nous prend-il pour des benêts, de nous faire essuyer cinq actes de prose ? A-t-on jamais vu plus d'extravagance ? Le moyen d'être diverti par de la prose ![2]» De plus,

1 Robinet, *Lettres en vers*, 15 septembre 1668.

2 Grimarest, *Vie de Molière*, 1705.

le ton parfois lourd de la pièce, qui montre l'avarice détruisant tout sentiment, toute moralité, était loin de ce à quoi les spectateurs de l'époque s'attendaient en matière de comédie. Le succès de *Tartuffe*, pièce à scandale très attendue, qui prendra l'affiche le 5 février 1669, sonne le glas de *L'Avare*.

Ironiquement, le passage du temps va faire de cette malaimée du XVIIe siècle, une des pièces de Molière les plus jouées au XXe. Ce succès moderne de *L'Avare* s'explique du fait que sa prose est devenue un atout et que le mélange des genres, du comique et du drame, s'est imposé comme une nécessité. Enfin, l'universalité du sujet lui permet de rester d'actualité.

LES SOURCES

Source 1 : *La Marmite [Aulularia]* de Plaute

Pour écrire *L'Avare*, Molière s'inspire de la comédie latine *La Marmite* de Plaute (v. 195 av. J.-C). La découverte d'une marmite pleine d'or transforme la vie d'Euclion. De peur de se la faire voler, il ne cesse de la changer de cachette, jusqu'à ce que l'esclave Strobile la lui vole afin de permettre le mariage du jeune Lyconide avec la fille d'Euclion. Le personnage d'Harpagon, l'histoire de la cassette et la liaison amoureuse entre Élise et Valère sont inspirés de *La Marmite*. Molière a aussi repris certaines scènes ou parties de scènes : l'inspection des mains de La Flèche par Harpagon (ACTE I, SC. 3), la répétition du «sans dot» (ACTE I, SC. 5), l'idée de la collation offerte à Mariane (ACTE III, SC. 7), le monologue désespéré de l'avare dépouillé (ACTE IV, SC. 7), les aveux de Valère sous forme de quiproquo (ACTE V, SC. 3).

Voici le monologue d'Euclion après le vol de sa marmite.

EXTRAIT DE *LA MARMITE*

ACTE IV, SCÈNE 9 [*L'Avare*, ACTE IV, SCÈNE 7]

EUCLION [HARPAGON]

Je suis perdu, je suis assassiné, je suis mort ! où dois-je courir ? où dois-je ne point courir ? Tenez, tenez celui qui m'a volé. Mais qui est-il ? Je ne sais, je ne vois rien, je marche comme un aveugle, et certes je ne saurais dire où je vais, ni où je suis, ni qui je suis. Je vous prie tous tant que vous êtes de me secourir, et de me montrer celui qui me l'a dérobée. Je vous en supplie, je vous en conjure. Ils se cachent sous des habits modestes, sous la blancheur de la craie et se tiennent assis comme des personnes sérieuses. Pour toi, que dis-tu ? Se peut-on fier à toi ? Car il me semble à voir ton visage que tu es homme de bien. Qu'y a-t-il ? Pourquoi riez-vous ? Je connais tout le monde. Je sais qu'il y a ici beaucoup de voleurs. Quoi, n'y a-t-il personne de tous ceux-là qui l'ai prise ? Tu me fais mourir ! Dis donc qui l'a prise ? Ne le sais-tu point ? Ha, je suis ruiné : je suis le plus malheureux de tous les hommes ; je suis au désespoir, et je ne sais où je vais, ni comme je suis fait ; tant cette journée m'apporte de tristesse, de deuil et de maux[1].

Source 2 : *La Belle Plaideuse* de Boisrobert (1655)

Molière n'hésite pas à emprunter également à certaines comédies de son temps. Par exemple, il s'inspire de *La Belle Plaideuse* de Boisrobert pour la scène de l'usure. Un prêteur y oblige un emprunteur à remplacer par des marchandises 12 000 francs sur les 15 000 empruntés.

EXTRAIT DE *LA BELLE PLAIDEUSE*

ACTE IV, SCÈNE 2 [*L'Avare*, ACTE II, SCÈNE 1]

ERGASTE [CLÉANTE]

Où donc est le surplus ?

1 Traduction de l'abbé de Marolles (1658), celle-là même que Molière a utilisée.

FILIPIN [LA FLÈCHE]
Je ne sais si je puis vous le conter sans rire :
Il dit que du Cap-Vert il lui vient un navire,
Et fournit le surplus de la somme en guenons
Et fort beaux perroquets, en douze gros canons,
Moitié fer, moitié fonte, et qu'on vend à la livre…

Il tire aussi de *La Belle Plaideuse* l'idée d'un père prêteur ayant son fils comme client.

ACTE II, SCÈNE 8 [*L'Avare*, ACTE II, SCÈNE 2]

BARQUET [MAÎTRE SIMON]
Il sort de mon étude, parlez-lui.

ERGASTE [CLÉANTE]
Quoi ! c'est là celui qui fait le prêt ?

BARQUET [MAÎTRE SIMON]
Oui, Monsieur.

AMIDOR [HARPAGON]
Quoi ! c'est là ce payeur d'intérêt ?
Quoi ! c'est donc toi, méchant filou, traîne-potence ?
C'est en vain que ton œil évite ma présence :
Je t'ai vu.

ERGASTE [CLÉANTE]
Qui doit être enfin le plus honteux,
Mon père, et qui paraît le plus sot de nous deux ?

Source 3 : Les avares de son temps

Molière s'est aussi inspiré des avares de son temps. Les plus célèbres sont les époux Tardieu. Tallemant des Réaux (1619-1692) trace le portrait suivant de madame dont certains traits se retrouvent chez Harpagon :

« […] il n'y a rien de plus ridicule que de la voir avec une robe de velours pelé [usé], faite comme on les portait il y a vingt ans, un collet de même âge, des rubans couleur de feu repassé, et de vieilles mouches toutes effilochées, jouer du luth et, qui pis est, aller chez la Reine. Elle n'a point d'enfants ; cependant sa mère, son mari et elle n'ont pour tous valets qu'un cocher : le carrosse est si méchant [délabré] et les chevaux aussi qu'ils ne peuvent aller; la mère donne l'avoine elle-même; ils ne mangent pas leur saoul. Elles vont elles-mêmes à la porte. Une fois que quelqu'un leur était allé faire visite, elles le prièrent de leur prêter son laquais, pour mener les chevaux à la rivière, car le cocher avait pris congé. Pour récompense, elles ont été, un temps à ne vivre toutes deux que du lait d'une chèvre. Le mari dit qu'il est fâché de cette mesquinerie : Dieu le sait. Pour lui il dîne toujours au cabaret, aux dépens de ceux qui ont affaire de lui, et le soir il ne prend que deux œufs. Il n'y a guère de gens à Paris plus riches qu'eux. Il a mérité d'être pendu deux ou trois mille fois : il n'y a pas un plus grand voleur au monde[1].»

LES ÉLÉMENTS CONSTITUTIFS : ACTION, TEMPS, LIEU, PERSONNAGES ET THÈMES

L'intrigue, l'action

Parmi les règles propres au théâtre classique, l'unité d'action est celle avec laquelle Molière prend le plus de libertés. Il n'y a pas **une** intrigue dans *L'Avare*, mais plutôt quatre qui s'entremêlent : l'amour entre Élise et Valère, l'amour entre Mariane et Cléante, le mariage projeté entre Mariane et Harpagon et le vol de la cassette d'Harpagon.

«L'unité d'action, pièce cardinale de la doctrine classique, est traitée par Molière avec une désinvolture préclassique. Bien des scènes de ses pièces sont inutiles à l'intrigue, mais toutes servent à peindre la personnalité du héros. Il y a unité d'intérêt plutôt qu'unité d'action proprement dite. Ainsi *L'Avare*, avec ses quatre intrigues peu unifiées, satisfait mal les théoriciens, mais montre admirablement, dans des domaines distincts, les ravages de l'avarice. Tout converge vers l'intérêt pour le caractère d'Harpagon; c'est pourquoi l'on appelle parfois la pièce une comédie de caractère[2].»

1 Tallemant des Réaux, *Historiettes*, tome I, Paris, Gallimard, coll. «Bibliothèque de La Pléiade», 1960, p. 657-658.

2 Colette et Jacques Scherer, «Le métier d'auteur dramatique», *Le Théâtre en France*, tome I, 1988.

Comme l'illustre le tableau sur la structure de l'action, les différentes intrigues peuvent se fondre, surtout lorsque l'opposition entre le père et le fils se fait jour, mais l'ensemble reste assez échevelé, d'autant que Molière, entre faire rire et respecter l'unité d'action, n'hésite pas et privilégie le comique. L'unité de la pièce n'est donc pas dans l'action à proprement parler, mais bien plutôt dans le personnage d'Harpagon.

Gravure de Cars d'après F. Boucher pour l'édition de 1734.

STRUCTURE DE L'ACTION						
Acte	Scène	Action	Élise/ Valère	Mariane/ Cléante	Mariane/ Harpagon	Cassette
I	1	Élise et Valère se confirment leur amour.	•			
I	2	Cléante avoue à Élise son amour pour Mariane.		•		
I	3	Harpagon fouille La Flèche.				•
I	4	Harpagon dévoile ses intentions.	•	•	•	•
I	5	Valère arbitre le différend Harpagon/Élise.	•			•
II	1	La Flèche présente le contrat à Cléante.		•		
II	2	Prêteur et emprunteur se reconnaissent.		•		
II	3	Frosine arrive.			•	•
II	4	La Flèche défie Frosine d'obtenir de l'argent d'Harpagon.			•	
II	5	Frosine flatte Harpagon.			•	
III	1	Harpagon planifie le repas pour la signature du contrat de mariage.			•	
III	2	Valère et maître Jacques s'affrontent.				•
III	3	Frosine et Mariane arrivent.		•	•	
III	4	Mariane avoue ses craintes à Frosine.		•	•	
III	5	Harpagon complimente Mariane.		•	•	
III	6	Harpagon complimente toujours Mariane.		•	•	
III	7	Cléante avoue implicitement son amour à Mariane.		•	•	
III	8	Harpagon est demandé.		•	•	
III	9	Cléante offre la collation à Mariane.		•	•	
IV	1	L'opposition à Harpagon s'organise.		•	•	
IV	2	Harpagon retient son fils.		•	•	
IV	3	Harpagon joue son fils.		•	•	
IV	4	Maître Jacques réconcilie le père et le fils.		•	•	
IV	5	Harpagon et Cléante se brouillent de nouveau.		•	•	
IV	6	La Flèche vole la cassette d'Harpagon.				•
IV	7	Harpagon se désespère.				•
V	1	Le Commissaire commence son enquête.				•
V	2	Maître Jacques accuse Valère.				•
V	3	Valère avoue à Harpagon son amour pour Élise.	•			•
V	4	Élise implore son père.	•			•
V	5	Mariane, Valère et Anselme se reconnaissent parents.	•	•	•	•
V	6	Cléante fait chanter son père.	•	•	•	•

Le temps, le lieu

Pour le temps et le lieu, Molière est plus classique. Il respecte l'unité de temps qui demande que le temps de l'action se rapproche du temps de représentation et qu'il ne dépasse pas une journée. La pièce commence quelque part en après-midi puisque, à la SCÈNE 4 de l'ACTE I, Harpagon affirme que son fils épousera «une certaine veuve dont **ce matin** on [lui] est venu parler» (l. 467-468). Quant à Élise, elle doit épouser Anselme «**dès ce soir**» (ACTE I, SC. 4, l. 484-485) et un souper[1] soulignera l'événement (ACTE III, SC. 1). L'arrivée de Mariane et de Frosine, venues prendre une collation avant d'aller à la foire et de revenir pour le repas, a donc lieu logiquement vers 16 h 30, 17 h (ACTE III, SC. 3). La Flèche vole la cassette à la fin de l'après-midi, vers 18 h. Il affirme en effet qu'il a surveillé la cassette «tout le jour» (ACTE IV, SC. 6, l. 1965). Le retour de la foire d'Élise, de Mariane et de Frosine (ACTE V, SC. 4) et l'arrivée d'Anselme (ACTE V, SC. 5) ont lieu vers 19 h, 19 h 30, puisque le souper est prévu pour 20 h. Le temps de l'action s'étend donc sur quelques heures. En ce qui a trait au temps de la représentation, à l'époque de Molière, il était approximativement de deux heures et demie. Chaque acte, il y en a cinq, durait en effet au maximum trente-cinq minutes, soit la durée des bougies qui éclairaient la scène et qui étaient remplacées entre les actes. Puisque dans *L'Avare,* les deux temps, celui de l'action et celui de la représentation, se rapprochent, Molière y respecte donc l'unité de temps.

Quant à l'unité de lieu, qui demande que le lieu de l'action soit unique, Molière s'y conforme. Il situe toute l'action dans une pièce d'une maison bourgeoise à Paris. Ainsi, dans

1 À l'époque de Molière, *souper* était encore utilisé pour désigner le repas du soir, vers 20 h. Cette acception est toujours en usage au Québec, bien que le repas du soir soit plus tôt, vers 18 h. En France, depuis approximativement 1830, *dîner* a remplacé *souper* qui désigne maintenant le repas ou la collation prise après le spectacle ou à une heure avancée de la nuit.

L'Avare, la satire de la justice, des femmes, des faux nobles, le portrait de l'avarice sont d'autant plus féroces que, pour les spectateurs parisiens de l'époque, tout cela se passe chez eux, dans leur bonne ville de Paris.

Les personnages

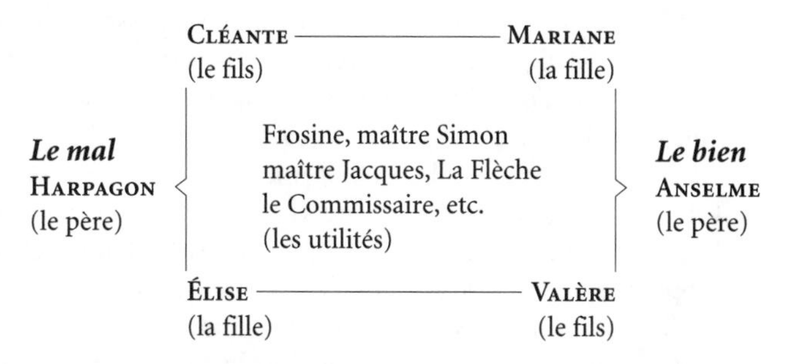

Les pères : Harpagon et Anselme

Harpagon, dont le nom signifie «rapace» en grec et «grappin» en latin, ne vit qu'en fonction de son vice. Avare au dernier degré, il ne donne rien, garde tout pour lui et fait le malheur de ses enfants, Élise et Cléante. Il veut marier son fils à «une certaine veuve» (ACTE I, SC. 4, l. 467), nécessairement fort riche, et sa fille au seigneur Anselme, parce que ce dernier est «fort accommodé [riche]» et qu'il accepte de l'épouser «sans dot» (ACTE I, SC. 5, l. 530, 538). L'amour que sa fille a pour Valère et celui que son fils éprouve pour Mariane ne touchent pas sa fibre paternelle qui ne vibre que lorsque l'argent est en jeu. De plus, son désir de posséder, que l'âge exacerbe, l'a décidé à prendre femme. Grâce à sa richesse, il obtient la main de Mariane malgré ses 60 ans bien sonnés. Même si son fils aime la jeune fille, il se la réserve, du droit du père, du droit du plus riche.

Anselme, le père de Mariane et de Valère, est tout l'opposé. Autant Harpagon s'accroche à garder Mariane, autant Anselme rejette le mariage projeté, dès qu'il apprend qu'Élise ne l'aime pas. Il accepte que ses enfants se marient selon leurs vœux. À l'inverse d'Harpagon, il est de son temps et se conduit en conformité avec sa condition sociale. À la fin de la pièce sa générosité — il accepte même de payer le costume de l'avare — fait ressortir la ladrerie d'Harpagon.

Tout chez Harpagon faisait rire le spectateur à l'époque de Molière. Son habillement, tout de noir, est passé de mode comme le souligne particulièrement la «fraise à l'antique» (voir la photo, p. 105) à la mode cinquante ans auparavant. Son langage est parsemé de termes vieillis en 1668, tels «cache» (ACTE I, SC. 4, l. 314), «damoiseau» (ACTE III, SC. 1, l. 1145), «Rengrégement» (ACTE V, SC. 3, l. 2259). Quand il fait sa cour à Mariane, son discours aussi est archaïque et se rapproche du langage amoureux à la mode avant 1600. Son «belle mignonne» (ACTE III, SC. 5, l. 1435), par exemple, rappelle des poètes comme Joachim du Bellay (1522-1560) ou Pierre de Ronsard (1524-1585).

Non seulement Harpagon n'est pas de son époque, mais il ne tient pas son rang. Il utilise des termes à saveur populaire comme «baillerai» (ACTE I, SC. 3, l. 239), «Ouais!» (ACTE I, SC. 5, l. 569). Son habillement n'a pas la richesse que son statut social commande. Ainsi, l'avare refuse de remplacer par des rubans, comme l'exigeait la mode, les aiguillettes qui permettent d'attacher la culotte (haut-de-chausses) à la veste (pourpoint). Son train de maison aussi laisse à désirer. Il ne possède que cinq domestiques, ce qui est bien peu, à l'époque, pour la maison d'un riche bourgeois. De plus, pour raisons d'économie, maître Jacques cumule les fonctions de cocher et de cuisinier, et Élise est chaperonnée par une simple servante, dame Claude, plutôt que par une suivante. Harpagon lésine aussi sur la nourriture. Le luxueux repas que souhaite préparer maître Jacques n'est pas anormal chez un riche bourgeois parisien en 1668. Que l'avare préfère un repas plus commun, fort nourrissant, et surtout plus économique, est une autre preuve de sa ladrerie.

Liés à son avarice, deux autres sentiments habitent Harpagon. D'une part, sa suspicion maladive lui fait voir des voleurs partout. Il cherche la troisième main de La Flèche, le fouille (ACTE I, SC. 3), s'imagine même que ses enfants songent à le voler (ACTE I, SC. 4, l. 400-402). Il va régulièrement voir si son argent est toujours bien là. Cela explique qu'il découvre le vol à peine accompli. D'autre part, son égoïsme est insondable. De ses enfants, il sera «bientôt défait et de l'un et de l'autre» (ACTE III, SC. 6, l. 1455-1456), affirme-t-il à Mariane. Il réplique à Élise, qui souligne que Valère lui a sauvé la vie : «Tout cela n'est rien ; et il valait mieux pour moi qu'il te laissât noyer que de faire ce qu'il a fait» (ACTE V, SC. 4, l. 2288-2289). Son égoïsme explique sa naïveté quand il s'agit d'un domaine où l'argent n'entre pas en jeu. Ainsi, Frosine peut soutenir qu'il est «à ravir» que sa «figure est à peindre» (ACTE II, SC. 5, l. 1044-1045), il gobe tout.

Les jeunes premiers : Valère et Cléante

Valère et Cléante, les jeunes premiers, diffèrent l'un de l'autre. Valère est noble, conscient de sa supériorité de classe. Même s'il doit cacher son identité, il s'insurge lorsque maître Jacques parle de lui donner des coups de bâton (ACTE III, SC. 2). À la fin de la pièce, il revendique bien haut son statut social. Sa noblesse transparaît aussi dans ses actions. Il ne craint pas de risquer pour être près d'Élise. Il agit. Il tente d'amadouer le père, sans grand succès faut-il le préciser.

Cléante est fils de bourgeois. Il n'a pas conservé les principes de la première génération de bourgeois, selon lesquels l'argent est un capital à faire fructifier. Au contraire, pour lui, l'argent doit être dépensé, tout spécialement lorsqu'on est jeune. Il joue allègrement et dépense tous ses gains. À l'inverse de son père, il suit la mode. Ainsi, il a sur lui pour 220 livres de perruques et de rubans, soit 4 400 FF actuels ou 1 000 $ (ACTE I, SC. 4). Sa prodigalité s'oppose à l'avarice du père. Il n'a pas l'esprit entreprenant de Valère. Incapable de trouver une solution, il demande l'aide de Frosine et reproche à Mariane de ne rien faire (ACTE IV, SC. 1). Finalement, La Flèche lui offre une solution toute trouvée, mais combien peu morale, faire chanter son père (ACTE V, SC. 6).

Les jeunes premières : Élise et Mariane

Les jeunes premières, Élise, la fille d'Harpagon, et Mariane, qui se révélera la fille d'Anselme, sont elles aussi différentes. La première, derrière une image de fragilité caractéristique des jeunes premières de Molière, est plutôt forte. Elle a signé une promesse de mariage avec Valère sans le consentement de son père et accepte que son amoureux se cache chez elle (ACTE I, SC. 1). Elle tient tête à son père quand ce dernier lui annonce qu'il a décidé de la marier au seigneur Anselme (ACTE I, SC. 4) et, finalement, tente de lui faire entendre raison (ACTE V, SC. 4). Elle paraît d'autant plus forte aux yeux des spectateurs que son frère, Cléante, est faible. Quant à Mariane, si elle a accepté d'épouser Harpagon, c'est pour sortir de la misère, pour sauver sa mère. Son amour pour Cléante la place dans un dilemme, que seule la découverte providentielle de son père derrière l'identité d'Anselme viendra régler.

Les utilités : Frosine, La Flèche, maître Jacques, le Commissaire

Frosine, La Flèche, maître Jacques et le Commissaire servent de faire-valoir aux autres personnages, tout spécialement à Harpagon. Frosine fait ressortir la naïveté d'Harpagon (ACTE II, SC. 5) ; La Flèche, sa suspicion maladive (ACTE I, SC. 3); maître Jacques, sa pingrerie domestique (ACTE III, SC. 1).

Les thèmes

L'argent

Au XVIIe siècle, le **système monétaire** est assez complexe. L'écu d'argent vaut 3 livres ou 3 francs; l'écu d'or, 10 livres ou 10 francs; la pistole et le louis d'or, 11 livres ou 11 francs; la livre ou le franc valent 20 sols ou sous; et un sol, 12 deniers. Les pièces en or sont dites trébuchantes lorsqu'elles font pencher la balance, appelée trébuchet. On leur donnait en effet un léger supplément de poids en prévision de l'usure par frottement. À l'époque, les espèces en or sont devenues rares d'où, chez Harpagon, un attrait supplémentaire pour sa cassette. Les sommes en jeu dans *L'Avare* sont considérables. Les 10 000 écus de la cassette représentent 600 000 FF actuels ou 140 000 $, et les 15 000 francs ou livres que veut emprunter Cléante valent approximativement 300 000 FF actuels ou 70 000 $. À titre de comparaison, précisons que Molière recevait du roi une pension annuelle de 1 500 livres, qu'un domestique faisait annuellement 100 livres et une servante, 20 livres.

Au XVIIe siècle, l'**intérêt sur un prêt** se calcule en deniers : au denier 5, par exemple, signifie 1 denier d'intérêt par 5 deniers prêtés. En 1665, Louis XIV promulgue une loi qui n'autorise que des prêts au denier 20, soit à un taux de 5 %. Harpagon pratique donc l'usure, puisqu'il prête à des taux supérieurs, très supérieurs même, à ceux autorisés. Cette pratique est doublement interdite, et par l'Église et par l'État. Pour ce dernier, elle entre en conflit avec le mercantilisme, défendu par Colbert. Ministre des Finances en poste depuis 1665, celui-ci favorise le commerce, la circulation des produits et des capitaux. Le profit engendré par l'usure n'entraîne guère d'activité économique et est perçu comme contre productif.

> «En ce temps qui manque de numéraire, l'économiste sage, en accord avec Bossuet, dénonce le mauvais riche. Nuit à la

prospérité celui qui dépense mal, et plus encore celui qui ne dépense pas. L'avare est un fléau social. Il renâcle devant les placements utiles que le règne suggère : grandes compagnies de commerce, manufactures privilégiées, ateliers à vaste équipement et abondante main-d'œuvre, commerce de gros auquel la noblesse peut s'adonner sans déroger. En thésaurisant, gardant jalousement sa cassette, il refuse d'animer le marché intérieur. *L'Avare* est une des pièces de Molière les plus conformes aux vœux économiques et sociaux du temps[1].»

Dans *L'Avare*, pour **obtenir de l'argent**, tous les moyens sont bons, sauf travailler : Harpagon pratique l'usure ; Cléante joue ou emprunte, misant sur la mort prochaine de son père ; Mariane accepte d'épouser un vieillard de 60 ans ; La Flèche dérobe la cassette d'Harpagon. Aucune de ces façons de gagner de l'argent n'est très morale. Molière illustre ainsi le fléau que représente l'avarice qui pervertit tout ce qu'Harpagon touche. Tout son monde, enfants et domestiques, vit dans des conditions difficiles. L'affection du père envers ses enfants se transforme en désir de se débarrasser d'eux le plus rapidement possible, tandis que le fils rêve de la mort de son père.

L'amour

Dans *L'Avare*, l'amour et l'argent, ces importants ressorts dramatiques, sont intimement liés. Les amours de jeunes gens contrariés par l'autorité des pères est un thème coutumier dans l'œuvre de Molière. À chaque fois, comme c'est le cas ici, le choix des amoureux triomphe du désir des parents. En amour, Molière privilégie la liberté de choix.

Le mariage est avant tout une question monétaire, le désir des enfants y semble bien secondaire. Pour être bonne à marier, une jeune fille doit être financièrement à l'aise. La

1 M. Bouvier-Ajam, «Le décor historique, économique et social», *Europe*, nov.-déc., 1972.

Gravure de Chasselat.
Dans *L'Avare*, tous les moyens sont bons pour obtenir de l'argent, même le vol. La Flèche dérobe la cassette et Harpagon se désespère.

dot, cette somme d'argent que fournissent traditionnellement les parents de la future mariée, permet de mesurer le statut social du mari. La supposée dot de Mariane de 12 000 livres (ACTE II, SC. 5), soit 240 000 FF actuels ou 56 000 $, est celle à laquelle s'attend un bourgeois. Quant à la supposée marquise ou vicomtesse de Basse-Bretagne, elle apporterait en mariage à Harpagon 100 000 écus (ACTE IV, SC. 1), l'équivalent de 6 000 000 FF actuels ou de 1 400 000 $. Seul un duc pouvait s'attendre à une telle dot de la part de sa future épouse. De plus, aucun notaire sérieux n'aurait accepté une clause qui aurait laissé la somme au mari, ici Harpagon. L'usage voulait en effet que chaque époux garde son bien propre. Le fait montre jusqu'à quel point Frosine compte sur la naïveté d'Harpagon, laquelle est sans fond.

Pour les filles, le mariage est parfois une bouée de sauvetage, comme ce l'est pour Mariane. Au XVIIe siècle, en effet, la meilleure solution pour une jeune fille seule et sans argent est le mariage qui lui permet d'assurer sa subsistance et son existence légale.

À l'époque, le père a tous les droits sur son enfant ; il peut le faire emprisonner sur simple désobéissance. Parce qu'Élise a signé une promesse de mariage sans son consentement, Harpagon veut l'enfermer dans un couvent (ACTE V, SC. 4). Il déshérite Cléante et le maudit parce que ce dernier refuse de lui laisser la place auprès de Mariane (ACTE IV, SC. 5). Les parents ont en effet toute autorité sur le mariage de leurs enfants. Ils décident de leur avenir en dehors de ces derniers, comme l'a fait Harpagon avec les siens. Leur consentement au mariage est obligatoire, jusqu'à l'âge de 30 ans pour les garçons et de 25 pour les filles. À défaut de quoi, ils peuvent le faire casser par un procès. Les enfants ne peuvent donc se marier en cachette. Élise, ayant contracté une promesse de mariage avec Valère, s'inquiète à cause de la valeur légale importante de cet engagement, car un bris de contrat peut donner lieu à des poursuites. Lors de la signature de cette promesse de mariage, la présence de dame Claude, la servante, s'explique par l'obligation qui est faite en droit ecclésiastique d'avoir un témoin. L'amour ne se conçoit pas en dehors des liens du mariage, lequel ne se termine qu'avec la mort de l'un des conjoints, puisque le divorce est interdit. À la rigueur, l'Église permet une «séparation de corps» et l'État, une «séparation de biens».

Le masque et le théâtre dans le théâtre

La plupart des personnages de la pièce jouent un rôle, se composent un personnage, et font de *L'Avare* du théâtre dans du théâtre. Dès le départ, Valère marque le pas. D'une part, il cache sa véritable identité et joue à l'intendant auprès d'Harpagon afin d'être près d'Élise, celle qu'il aime. D'autre part, pour se faire bien voir du père, il use et abuse de la flatterie. Il porte un «masque de sympathie», se «déguise pour lui plaire», «joue tous les jours avec lui afin d'acquérir sa tendresse» (ACTE I, SC. 1, l. 79-82). Mais le jeu n'est pas sans risque. Par exemple, lorsque Harpagon lui demande d'arbitrer le différend qu'il a avec sa fille, puisqu'il ne peut enlever son masque, il tergiverse, atténue même ses propres objections (ACTE I, SC. 5).

Élise et Cléante aussi portent un masque. Devant leur père, ni Élise ni Célante n'osent dévoiler l'amour qu'ils portent à Valère pour l'une et à Mariane pour l'autre. Cléante va encore plus loin. Lors de la rencontre avec Mariane, en présence de son père, il joue le rôle de ce dernier : il déclare son amour à Mariane, fait le compliment, offre la collation et le présent (ACTE III, SC. 7).

Quant à maître Jacques, Frosine et La Flèche, tous trois portent un masque. Maître Jacques feint d'être courageux face à Valère (ACTE III, SC. 2) et l'accuse faussement du vol de la cassette (ACTE V, SC. 2). Mais il n'a pas l'art de la fourberie, sa naïveté est trop grande, et chaque fois qu'il feint, la situation se retourne contre lui. La première fois, il reçoit de Valère des coups de bâton (ACTE III, SC. 2), tandis qu'à la seconde, Harpagon le donne à pendre en paiement des écritures du Commissaire (ACTE V, SC. 6). En réalité, même sans masque, la naïveté de maître Jacques fait de lui une victime. Ainsi, il ne récolte que coups de bâton pour avoir dit la vérité à Harpagon (ACTE III, SC. 1). À l'inverse, Frosine, la «femme d'intrigue», excelle dans l'art de «traire les hommes» (ACTE II, SC. 4, l. 874), grâce au masque de la flatterie. Harpagon s'y laisse prendre tant que l'argent n'entre pas en ligne de compte (ACTE II, SC. 5). Lorsqu'elle change de camp, Frosine imagine le scénario de la marquise ou vicomtesse de Basse-Bretagne. Ce scénario digne du théâtre n'aura pas lieu, mais le thème du masque y est bien présent. Quant à La Flèche, il feint la naïveté avec Harpagon (ACTE I, SC. 3) et joue de l'ironie avec Cléante (ACTE II, SC. 1), cachant dans les deux cas sa véritable opinion sur ses maîtres. Quand il délaisse son masque, il trace à Frosine un portrait décapant d'Harpagon (ACTE II, SC. 4).

Seul Harpagon ne porte pas systématiquement un masque. La raison en est simple : c'est par sa faute que les autres en ont un. Il s'en sert lorsqu'il veut justement que les autres enlèvent le leur. Ainsi, il se fait paternaliste quand il souhaite que maître Jacques lui dise ce que les autres racontent sur lui (ACTE III, SC. 1). Mais dès qu'il le sait, il jette le masque et bat son valet. Il récidive avec son fils. Il feint le bon sens et lui offre d'épouser Mariane (ACTE IV, SC. 3). Mais dès que Cléante jette le masque, il retire le sien, et le conflit entre le père et le fils atteint son paroxysme. Le comique naît de ce qu'au moins un personnage porte un masque. Dès que les deux personnages en présence le retirent, la pièce touche au romanesque, comme c'est le cas dans les deux premières scènes, ou au drame, lorsque Harpagon, le père, et Cléante, le fils, s'affrontent. La pièce se termine quand chaque personnage accepte de se dépouiller de son masque, retrouve sa véritable identité. Seul Harpagon perdure fidèle à lui-même, éternel comme son vice.

PROCÉDÉS DE FABRICATION DU COMIQUE[1]

«C'est une étrange entreprise que celle de faire rire les gens».
Molière

Le comique demande un certain terreau pour naître. D'abord, seul l'**humain** fait rire. Dans *L'Avare*, ce sont les personnages, leur comportement, ce qui leur arrive qui font rire. Si un objet, par exemple la «fraise à l'antique», fait rire, c'est parce qu'un être humain la porte[2]. Ensuite, seule l'**insensibilité** permet que le rire éclate. Le spectateur rit d'Harpagon en autant que sa sensibilité ne s'attache pas aux conséquences dramatiques que l'avarice a sur l'entourage de l'avare. En fait, le comique s'adresse à l'intelligence seule[3]. Finalement, le rire éclate **en société**. Dans ce sens, une comédie est d'autant plus drôle que des spectateurs se rassemblent pour la voir. En somme, le rire naît «quand des hommes réunis en groupe dirige[...]nt toute leur attention sur un d'entre eux, faisant taire leur sensibilité et exerçant leur seule intelligence».

Deux caractéristiques se retrouvent dans les comiques de forme, de geste, de situation, de mot et de caractère : une **raideur** et un **automatisme**, qui contrastent avec la vivacité et la diversité normales de la vie.

LE COMIQUE DE FORME

Selon Bergson, devient «comique toute difformité qu'une personne bien conformée arrive[...] à contrefaire».

1 Dans le texte de cette section, toutes les citations sont tirées du *Rire, essai de définition* d'Henri Bergson (Paris, Presses universitaires de France, coll. «Bibliothèque de philosophie contemporaine», 1972, 157 p.).

2 Si le singe fait rire, c'est qu'il imite l'être humain ou que l'être humain l'imite.

3 Voilà pourquoi personne n'ose rire au salon funéraire de peur de passer pour sans-cœur.

Toute raideur physique qui rompt avec la mobilité du corps humain est donc potentiellement drôle.

Le corps et le visage

Peuvent donc faire rire un La Flèche, ce «boiteux-là» (ACTE I, SC. 3, l. 309), qui traîne la jambe, un maître Jacques aux joues et au ventre excessivement rebondis ou un Harpagon grimaçant et au dos voûté. Le travail du metteur en scène consiste à bien choisir la difformité physique du personnage pour qu'il soit le plus risible possible.

Les costumes

Le costume aussi fait partie du comique de forme, puisqu'il est une raideur appliquée sur la fluidité corporelle de l'être humain. Les costumes qui emprisonnent le corps et rendent les personnages plus ou moins difformes font rire. L'être humain donne alors l'impression d'être une chose plus ou moins informe. Le costumier doit donc bien choisir le costume pour rendre les personnages le plus ridicules possible. Les vêtements démodés d'Harpagon et les lunettes qu'il utilise pour mieux voir les «appas» de Mariane (ACTE III, SC. 5, l. 1424) relèvent du comique de forme.

La voix

Une voix traînante ou nasillarde équivaut à une grimace dans l'enveloppe sonore de la voix. La plupart des metteurs en scène donnent à Harpagon une voix particulière dont la «grimace» sonore fait rire le spectateur.

LE COMIQUE DE GESTE

«Les attitudes, gestes et mouvements du corps humain sont risibles dans l'exacte mesure où ce corps nous fait penser à une simple mécanique». Les personnages font rire lorsque leurs gestes ne sont plus le reflet de leurs sentiments intérieurs, mais tout simplement une habitude mécanique, un tic. Ainsi, tout au cours de la pièce, la toux répétitive d'Harpagon, parce que devenue mécanique, fait rire. Les révérences à répétition que s'adressent Harpagon et Élise (ACTE I, SC. 4, l. 472-489) relèvent d'un pur automatisme et, à ce titre, elles font rire.

LE COMIQUE DE SITUATION

Quel que soit le procédé utilisé, à la base, une situation est comique quand elle donne à la fois «l'illusion de la vie et la sensation nette d'un agencement mécanique».

Le diable à ressort (la boîte à surprise)

L'enfant qui actionne le mécanisme d'une boîte à surprise éclate de rire chaque fois que le diable en surgit brutalement. Il referme la boîte et recommence. Lorsqu'elle reproduit le même mécanisme, une situation est comique.

- Lorsque le diable à ressort est physique, il met aux prises deux personnages, l'un repoussant l'autre, comme dans la scène où maître Jacques repousse systématiquement Valère, alors le diable (ACTE III, SC. 2, l. 1350-1351).
- Lorsque le diable à ressort est psychologique, un sentiment et un discours qui le repousse s'opposent. Par exemple, l'avarice d'Harpagon, le diable, est repoussée par l'énumération que fait maître Jacques des plats qu'il compte servir au repas qui doit marquer la signature du contrat de mariage entre Élise et Anselme (ACTE III, SC. 1, l. 1209-1218). Le mouvement de va-et-vient ainsi créé fait naître le rire.
- Un mot répété est souvent la marque d'un diable à ressort psychologique. Lorsque Harpagon demande à Valère d'arbitrer le différend qui l'oppose à Élise, l'avarice d'Harpagon, le diable, est systématiquement repoussée par l'argumentation de Valère. La répétition du «sans dot» (ACTE I, SC. 5, l. 538, 539, 550, 557, 566, 567) en accentue le rythme.

Le pantin à ficelle (la marionnette)

Harpagon qui manipule son fils Cléante afin de lui soutirer l'aveu de son amour pour Mariane (ACTE IV, SC. 3, l. 1730-1799), c'est l'enfant qui joue avec une marionnette. Pour le spectateur, le manipulé fait rire parce qu'il abdique inconsciemment sa liberté. Il fait preuve d'une raideur mécanique devant la vivacité du manipulateur. Quand Frosine planifie la ruse qui doit détourner Harpagon de Mariane (ACTE IV, SC. 1, l. 1684-1701), le spectateur anticipe la fourberie, la manipulation, et rit.

L'effet boule de neige

Il y a effet boule de neige lorsqu'une conséquence est inattendue. Quand Harpagon, le mystérieux prêteur, découvre que Cléante se révèle être le mystérieux emprunteur (ACTE II, SC. 2), le comique naît de l'imprévu de la découverte.

La répétition

La répétition est une «combinaison de circonstances, qui revient telle quelle à plusieurs reprises». La SCÈNE 4 de l'ACTE IV, alors que maître Jacques joue le rôle du médiateur, tire son comique de la répétition d'une série de circonstances.

	HARPAGON et MAÎTRE JACQUES	CLÉANTE et MAÎTRE JACQUES
La justification	l. 1844-1852	l. 1854-1869 (jusqu'à «mots»)
La réponse	l. 1869-1880 (jusqu'à «faire»)	l. 1880-1891
L'accord	l. 1892-1894	l. 1895-1897
Le remerciement	l. 1904-1908	l. 1901-1903

L'inversion

- Quand «la situation se retourne et que les rôles sont intervertis», le comique naît. C'est le principe de l'**arroseur arrosé**. La SCÈNE 2 de l'ACTE III fait rire, entre autres, parce que les personnages changent de rôles. Dans un premier temps, maître Jacques joue au courageux et Valère feint d'avoir peur (l. 1337-1360). Puis, dans un second temps, la situation s'inverse et maître Jacques recule devant la colère de Valère (l. 1361-1376). Ici, les deux temps de l'inversion sont présents.
- Parfois, seul le deuxième l'est, le premier étant inutile parce qu'implicite. C'est le principe du **monde renversé** : l'enfant qui semonce ses parents, le prisonnier qui condamne un juge, un voleur qui se fait dévaliser, etc. Ainsi, quand La Flèche, le valet, sermonne Cléante, son maître (ACTE II, SC. 1, l. 758-761), il y a comique par inversion. Le commentaire est d'autant plus drôle que cette inversion est double du fait que l'allusion à Panurge devrait venir du maître, normalement instruit, plutôt que du valet, normalement peu instruit.

L'interférence

«Une situation est comique quand elle renvoie en même temps à deux séries d'événements absolument indépendantes, et qu'elle peut s'interpréter à la fois dans deux sens tout différents».

- Quand une situation est interprétée différemment par deux personnages, il y a **quiproquo**. Ainsi, à la SCÈNE 2 de l'ACTE V, maître Jacques dit : «Qu'on me l'égorge tout à l'heure [tout de suite] ; qu'on me lui fasse griller les pieds» (l. 2031-2032). Harpagon pense qu'il s'agit possiblement de son voleur alors que maître Jacques parle d'un cochon de lait qu'il prépare pour le souper.

L'erreur dans le décodage de la situation crée le quiproquo.

- Quand une situation peut être interprétée de deux façons différentes par le spectateur, il y a **interférence.** Ainsi, à l'époque de Molière, le spectateur interprétait de deux façons les SCÈNES 5 et 6 de l'ACTE III. Dans le contexte de la pièce (énoncé), le vieillard amoureux d'une jeune fille renvoie aux personnages d'Harpagon et de Mariane. Dans le contexte de l'écriture de la pièce (énonciation), ce barbon qui veut épouser une fille beaucoup plus jeune que lui, c'est Molière et sa femme, Armande Béjart, de vingt ans plus jeune et à qui la rumeur attribuait de nombreux amants. Puisqu'ils jouaient respectivement les rôles d'Harpagon et de Mariane, la double interprétation rendait la scène d'autant plus comique.

LE COMIQUE DE MOT

Le comique de mot procède de la même logique que le comique de situation.

L'inversion

- L'inversion consiste à retourner une phrase tout en lui gardant un sens. Ainsi, Cléante réplique en inversant systématiquement les remarques d'Harpagon.

    HARPAGON : Comment, pendard ? c'est toi qui t'abandonnes à ces coupables extrémités ?

    CLÉANTE : Comment, mon père ? c'est vous qui vous portez à ces honteuses actions ?

    HARPAGON : C'est toi qui te veux ruiner par des emprunts si condamnables ?

    CLÉANTE : C'est vous qui cherchez à vous enrichir par des usures si criminelles ?

    HARPAGON : Oses-tu bien, après cela, paraître devant moi !

CLÉANTE : Osez-vous bien, après cela, vous présenter aux yeux du monde ?
(ACTE II, SC. 2, l. 808-819).

- Quand Harpagon reprend la maxime de Cicéron sous la forme «*Il faut vivre pour manger, et non pas manger pour vi...*», il inverse les termes et lui garde un sens (ACTE III, SC. 1, l. 1234-1235).

L'ambiguïté

L'ambiguïté consiste à utiliser un mot, un syntagme, une phrase qui renvoie à deux systèmes d'idées.

- Cette ambiguïté vient parfois d'une formulation syntaxiquement et volontairement peu claire. Ainsi, maître Simon affirme à propos de Cléante : «il s'obligera, si vous voulez, que son père mourra avant qu'il soit huit mois» (ACTE II, SC. 2, l. 787-789). La formulation est maladroite. Cléante ne s'engage pas vraiment à ce que son père meure dans les huit mois, mais à rembourser dans les huit mois puisque son père devrait mourir. La réplique fait rire à cause de l'ambiguïté qu'elle soulève.
- Souvent, l'ambiguïté survient parce que la phrase joue sur la polysémie, c'est-à-dire sur le fait qu'un même mot peut avoir plus d'un sens. Quand Harpagon «donne [s]a malédiction» à son fils, celui-ci lui réplique qu'il n'a «que faire de [ses] dons» (ACTE IV, SC. 5, l. 1956-1957). Alors qu'Harpagon utilise le verbe *donne* dans un sens figuré («je te donne ma malédiction» = «je te maudis»), Cléante feint de l'entendre dans le sens propre et lui répond qu'il ne veut pas de «dons», de présents.
- Parfois, l'ambiguïté naît de ce que le mot renvoie tout simplement à deux choses. Quand, par exemple, Harpagon parle de son «trésor» (ACTE V, SC. 3, l. 2184), l'ambiguïté vient de ce que le terme renvoie à sa cassette pour Harpagon et à Élise pour Valère.

La transposition

Le procédé consiste à transposer une idée dans un ton autre que le ton normal. Les possibilités sont innombrables, ce qui explique que le procédé est largement utilisé.

- La transposition **sur la valeur** consiste à valoriser quelque chose qui l'est peu, ou l'inverse. Ainsi, Valère valorise ses capacités de flatteur (ACTE I, SC. 1, l. 77-95) au détriment du flatté. Pour ce faire, il utilise, entre autres, le champ lexical du théâtre : « masque », « déguise », « joue ». Moralement douteux, flatter devient un art.
- La **parodie** est une imitation moqueuse ou burlesque du ton, des paroles et des idées de quelqu'un. Quand Harpagon, aux SCÈNES 5 et 6 de l'ACTE III, joue à l'amoureux auprès de Mariane, il imite, bien involontairement, l'amoureux transi. Le « un astre, mais un astre le plus bel astre qui soit dans le pays des astres » (l. 1428-1429), les lunettes, son âge, son habillement, tout le rend ridicule dans ce rôle de jeune premier.
- L'**ironie** consiste à dire le contraire de ce que l'on pense. Quand maître Jacques remercie Harpagon, qui ne lui a rien donné, par la formule « Je vous baise les mains » (ACTE IV, SC. 4, l. 1908), il ne le pense évidemment pas vraiment. À la SCÈNE 2 de l'ACTE II, Harpagon affirme à propos de l'argent qu'il va prêter : « C'est quelque chose que cela. La charité, maître Simon, nous oblige à faire plaisir aux personnes, lorsque nous le pouvons » (l. 790-792). Il va de soi qu'Harpagon n'a aucunement l'intention d'être « charitable ».
- L'**humour** consiste à traiter d'un sujet sérieux sur un ton léger. Ainsi, Frosine parle du mariage sur un ton pour le moins léger lorsqu'elle affirme à Mariane qui craint d'épouser un vieil homme : « Vous ne l'épousez qu'aux conditions de vous laisser veuve bientôt ; et ce

doit être là un des articles du contrat. Il serait bien impertinent de ne pas mourir dans trois mois» (ACTE III, SC. 4, l. 1418-1421).

- La **satire** consiste à critiquer les vices et les ridicules des individus et des sociétés. Dans son commentaire sur les médecins (ACTE I, SC. 5, l. 592-595), Molière, par l'intermédiaire de Valère, critique le peu de valeur de la médecine de son temps. L'ensemble de la pièce est en fait une satire «de l'avarice et des avaricieux» (ACTE I, SC. 3, l. 267-268).
- L'utilisation d'un **langage technique** à une fin autre que celle pour laquelle il a été établi constitue une autre forme de transposition. Ainsi, quand Harpagon traite La Flèche de «maître juré filou» (ACTE I, SC. 3, l. 204), il utilise dans un contexte différent un terme, *maître juré*, qui appartient au langage des professions. Au XVIIe siècle, le maître juré représentait le plus haut niveau hiérarchique qu'un individu pouvait atteindre dans sa profession. Ici, voler devient une profession comme les autres.

LE COMIQUE DE CARACTÈRE

Puisque *L'Avare* tire son unité d'Harpagon, le «ladre», le «vilain», le «fesse-mathieu», le comique de caractère y est omniprésent. Ce comique demande trois conditions: un défaut (ou une vertu) poussé à l'extrême, l'insensibilité du personnage et l'insensibilité du spectateur.

Un défaut (ou une vertu)

Le personnage est dominé par son vice. Dans *L'Avare*, l'avarice est poussée à l'extrême et régit entièrement Harpagon. Sa pingrerie lui fait chercher tous les moyens possibles et imaginables pour économiser sur son train de vie, comme l'illustre avec drôlerie la scène des préparatifs du repas devant marquer la signature du contrat de mariage entre Élise et Anselme (ACTE III, SC. 1). Il donne sa fille à Anselme parce que celui-ci l'accepte sans dot (ACTE I, SC. 5), il fouille La Flèche, le valet, parce qu'il soupçonne toujours que quelqu'un veut le voler (ACTE I, SC. 3), etc. Toutes ses actions sont fonction de sa ladrerie.

L'insensibilité et l'automatisme du personnage

Le personnage est insensible en ce sens qu'il ne réagit qu'en fonction de son défaut, à un point tel qu'il en devient prévisible. Ainsi, Harpagon aurait dû réagir en fonction de la situation et, après que maître Jacques l'eut raccommodé avec son fils, le dédommager généreusement. Mais non, l'avarice est toujours plus forte, et tout ce qu'il tire de sa poche, c'est un mouchoir. Il est insensible aux autres, à lui-même, à tout ce qui l'entoure. Tout son comportement devient automatique, prévisible pour le spectateur qui sait qu'Harpagon réagira uniquement en fonction de son vice.

L'insensibilité du spectateur

Pour qu'un défaut fasse rire, il ne faut pas qu'il entre en conflit ouvert avec un autre sentiment. Ainsi, *L'Avare* frôle le drame quand Harpagon se retrouve face à son fils, le premier dans le rôle de l'usurier, le second, dans le rôle de l'emprunteur. Ici deux sentiments entrent en conflit, l'amour de l'argent et l'amour paternel. À cause de cet état conflictuel, nous quittons presque la comédie. Si le spectateur s'attarde sur l'absence d'amour paternel chez Harpagon, il ne trouvera pas la scène drôle. Pour désamorcer le drame naissant, Molière s'arrange pour qu'après l'entrevue, Harpagon, n'y fasse que très discrètement allusion : «Mais si vous voulez que je perde le souvenir de votre dernière fredaine» (ACTE III, SC. 1, l. 1152-1154). Il isole ainsi l'amour qu'éprouve Harpagon pour son argent de l'amour paternel.

© Robert Laliberté.

Harpagon fouille La Flèche, le valet, parce qu'il soupçonne toujours que quelqu'un veut le voler.

La Flèche (Jean-Marie Moncelet) : Je dis que vous fouillez bien partout, pour voir si je vous ai volé.
Harpagon (Luc Durand) : C'est ce que je veux faire.
Il fouille dans les poches de La Flèche.

Acte i, scène 3, lignes 263 à 266.

Théâtre ProFusion inc., 1995.
Mise en scène de Luc Durand.

Qu'il soit de forme, de geste, de situation, de mot ou de caractère, le comique reste du «mécanique plaqué sur du vivant». Le rire naît quand une grimace, un geste, une situation, un mot ou un trait de caractère vient limiter la mobilité, la flexibilité, la vivacité du corps humain, de l'esprit humain, de la vie tout simplement.

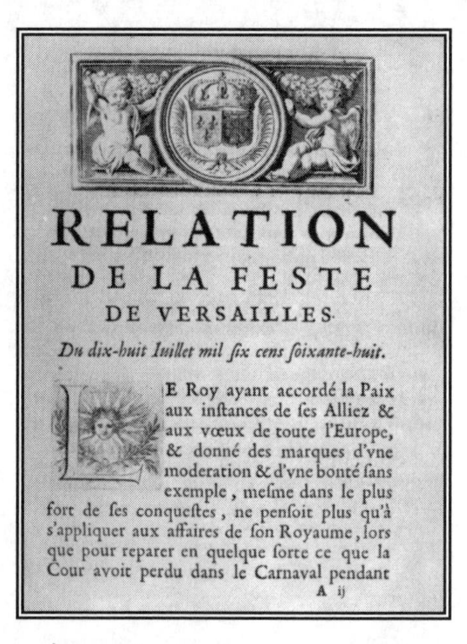

RELATION
DE LA FESTE
DE VERSAILLES.

Du dix-huit Iuillet mil ſix cens ſoixante-huit.

LE Roy ayant accordé la Paix aux inſtances de ſes Alliez & aux vœux de toute l'Europe, & donné des marques d'vne moderation & d'vne bonté ſans exemple, meſme dans le plus fort de ſes conqueſtes, ne penſoit plus qu'à s'appliquer aux affaires de ſon Royaume, lors que pour reparer en quelque ſorte ce que la Cour avoit perdu dans le Carnaval pendant

A ij

À l'occasion du «divertissement royal» du 18 juillet 1668, Molière présente *Georges Dandin* dans le parc de Versailles.

JUGEMENTS SUR L'ŒUVRE

«*L'Avare* est une de ses pièces [de Molière] où il y a le plus d'intentions et d'effets comiques. [...] Le seul défaut de la pièce est de finir par un roman postiche. [...] Mais, à cette faute près, quoi de mieux conçu que *L'Avare.*»

La Harpe, *Lycée ou Cours de littérature ancienne et moderne*, 1799.

«Entre toutes les pièces de Molière, *L'Avare*, dans lequel le vice détruit toute la piété qui unit le père et le fils, a une grandeur extraordinaire et est à un haut degré tragique.»

Gœthe, *Conversations avec Eckermann*, 1825.

«Molière, dans *L'Avare,* n'a pas entendu le moins du monde nous donner Cléante pour un fils vertueux que nous devons approuver aux dépens de son père; il a voulu seulement opposer l'avarice à la prodigalité, parce que ce sont les deux vices qui, contrastant le plus l'un avec l'autre, peuvent, par cela même, se choquer et se punir le plus efficacement.»

Saint-Marc Girardin, *Cours de littérature dramatique*, tome I, 1843.

«La peinture de l'avarice se ramène à une suite de numéros de répertoire. Molière ne raisonne pas d'après un caractère, mais d'après des scènes à faire.»

P. Brisson, *Molière, sa vie dans ses œuvres,* Gallimard, 1942.

«Harpagon s'imagine entouré d'ennemis. Molière a poussé ce trait chez lui jusqu'aux limites de la folie: tout ce qu'il voit, dit-il lui-même, lui semble son voleur. Harpagon joint ainsi l'extrême stylisation de la caricature à la vérité psychologique la plus directe.»

P. Bénichou, *Les Morales du Grand Siècle*, Gallimard, 1948.

«Ce vieillard [Harpagon], physiquement épuisé, moralement traqué, est un bouffon. Bouffon devant Mariane, bouffon dans ses pauvres colères, bouffon dans sa naïveté lorsqu'il boit les flatteries de Frosine. Ce tyran est seulement ridicule. Il est au plus haut point comique, et dès lors, il devient impossible de prétendre que *L'Avare* doit son caractère de comédie aux seuls lazzis[1] qui viennent se superposer à l'intrigue de fond.»

Antoine Adam, *Histoire de la littérature française au XVIIe siècle*, tome III, Domat, 1952.

«*L'Avare*, écrit hâtivement, sans que Molière ait eu même le temps de le versifier, est précisément instructif par le contraste de sa profondeur psychologique avec sa négligence de métier ; l'étude du vieillard avare et amoureux est de Molière homme de génie ; les plaisanteries faciles, les lazzis sans portée, l'exposition lourde et laborieuse et la langueur du dénouement appartiennent au directeur pressé, que talonne le besoin d'attirer le public et de faire vivre sa troupe.»

Félix Gaiffe, *Le Rire et la scène française*, Slatkine Reprints, 1970.

1 Intermèdes muets et mimés de la commedia dell'arte qui servaient à briser la monotonie des dialogues.

Plongée dans l'Œuvre

Frontispice de C. Jaulnay, *L'Enfer burlesque*, 1668.
En représailles à *Tartuffe* et à *Dom Juan*,
L'Enfer burlesque peint un Molière décharné,
enfariné, farceur grotesquement vêtu
entouré d'autres bouffons.

QUESTIONS SUR L'ŒUVRE[1]

ACTE I

ACTE I, SCÈNES 1 et 2

Compréhension

1. Quels passages des deux premières scènes permettent de comprendre pourquoi la pièce s'intitule *L'Avare ?*
2. En vogue dans les salons mondains au XVIIe siècle, la préciosité privilégie un langage recherché, particulièrement dans l'expression du sentiment amoureux. À partir de la discussion entre Élise et Valère, dégagez quelques caractéristiques du langage amoureux précieux.
3. Dans la tirade de Valère sur la flatterie (l. 77-95), relevez les termes qui renvoient au champ lexical du théâtre.

Action et personnages

4. Où l'action se déroule-t-elle ?
5. Dans quelles circonstances Élise et Valère se sont-ils connus ? Mariane et Cléante se sont-ils rencontrés ?
6. En quoi les craintes d'Élise consistent-elles ?
7. En quoi la tirade de Valère sur la flatterie (l. 77-95) est-elle utile ?
8. Que nous apprend la première tirade que Cléante adresse à sa sœur (l. 117-131) ? À quoi sert-elle sur le plan de l'action ?
9. Comment les trois personnages apparaissent-ils ?
10. Pourquoi pouvons-nous dire qu'il s'agit bien de scènes d'exposition ?
11. En quoi le suspense à la fin des deux scènes consiste-t-il ?

Comique

12. Pourquoi, durant ces deux scènes, Molière insère-t-il si peu d'éléments comiques ?

---

1 Pour toute notion reliée au théâtre (action, dénouement, comédie d'intrigue, scène de reconnaissance, ressort dramatique, théâtre dans le théâtre, règle des trois unités, etc.), référez-vous au «Lexique du théâtre» (p. 204-205).
Pour toute notion sur le comique, référez-vous à la section «Procédés de fabrication du comique (p. 159-170).

13. Expliquez le jeu de mots dans la réplique d'Élise « J'en vois beaucoup » (l. 163). Précisez le procédé comique utilisé.
14. À quel procédé du comique de mot la tirade de Valère sur la flatterie (l. 77-95) renvoie-t-elle ?

Acte i, scène 3

Compréhension

1. Divisez la scène en deux parties.
2. Quels champs lexicaux Harpagon privilégie-t-il ?

Action et personnages

3. Sur le plan de l'action, quelle est l'utilité de la scène ? S'agit-il d'une scène d'exposition ?
4. « [M]algré l'exemple de Plaute [...], je soutiens, contre Molière, qu'un avare qui n'est point fou ne va jamais jusqu'à vouloir regarder dans la troisième main de l'homme qu'il soupçonne de l'avoir volé » (Fénelon, *Lettre sur les occupations de l'Académie française*, 1716). Sur quel critère du classicisme Fénelon se base-t-il pour juger ainsi cette scène ?
5. Dites quel ressort dramatique fait agir chacun des personnages.
6. Qu'est-ce qui chez La Flèche irrite Harpagon ?
7. Montrez l'importance des apartés de La Flèche.

Comique

8. Sur quel procédé comique la scène est-elle construite ?
9. En examinant attentivement le comportement de La Flèche avec Harpagon, dites quel procédé du comique de situation ressort tout particulièrement.
10. Dans cette scène, quel trait de caractère, lié à l'avarice, se détache particulièrement ? Donnez-en deux exemples.
11. À l'aide des didascalies, expliquez en quoi pourrait consister le comique de geste dans cette scène.
12. Expliquez les comiques de mot suivants et dites à quel procédé comique respectif ils renvoient :

a) « maître juré filou » (l. 204) ;
b) « qu'on en eût fait pendre quelqu'un » (l. 256-257) ;
c) « je pourrais bien parler à ta barrette » (l. 287).

13. De quel procédé du comique de mot le dialogue sur l'avarice et les avaricieux (l. 267-285) relève-t-il ? Expliquez-en le fonctionnement.

Acte I, scène 4, voir «Extrait 1» (p. 188-189)

Acte I, scène 5

Compréhension

1. Divisez la scène en trois parties et titrez-les. Quel événement entraîne cette division. Est-il vraisemblable ?
2. À l'aide du champ lexical utilisé par chacun, montrez qu'Harpagon et Valère ont des perceptions du mariage fort différentes.

Action et personnages

3. Quel ressort dramatique interne fait agir Harpagon ?
4. Décrivez le comportement de Valère. Montrez que le masque qu'il porte le gène.
5. Par quels arguments Valère tente-t-il de convaincre Harpagon de reconsidérer le mariage projeté entre Élise et Anselme ?
6. Relevez les particularités syntaxiques utilisées par Valère pour atténuer, devant Harpagon, ses propres objections au mariage d'Élise avec Anselme.

Comique

7. Décrivez le procédé du comique de situation qui structure la première partie de la scène. Quelle caractéristique stylistique en accentue le rythme ?
8. Toujours dans la première partie de la scène, à quel niveau l'inversion se situe-t-elle ?
9. Au début de la scène, quel autre procédé du comique de situation Molière utilise-t-il ?
10. Expliquez l'effet comique dans l'expression «c'est un gentilhomme qui est noble» (l. 529). Précisez le procédé comique utilisé.
11. Dans la discussion entre Valère et Élise en l'absence d'Harpagon, sur quoi la satire porte-t-elle ?
12. Dans la dernière partie de la scène, quel procédé du comique de situation est privilégié ?

13. Toujours dans cette dernière partie, de quel procédé du comique de mot les répliques de Valère relèvent-elles ? Donnez-en deux exemples.

ACTE II

ACTE II, SCÈNE 1

Compréhension

1. Quel titre donneriez-vous à cette scène ?
2. Faites l'inventaire des «hardes» et «nippes» que Cléante doit accepter comme l'équivalent d'une partie du prêt. Pour chacune d'elles, précisez, s'il existe, l'élément qui laisse supposer son peu de valeur. Aidez-vous des notes en bas de page.
3. Déterminez le taux d'intérêt réel que pratique l'usurier. N'oubliez pas de considérer que Cléante «n'aura[...] pas deux cents écus de tout cela» (l. 753-754), c'est-à-dire des «hardes» et des «nippes» fournies par le prêteur. Ce taux représente combien de fois le taux légal ?

Action et personnages

4. Sur le plan de l'action, à quoi les premières répliques serventelles (l. 633-654) ?
5. Pourquoi Cléante veut-il emprunter de l'argent (voir ACTE I, SC. 2) ?
6. Comment Cléante apparaît-il dans cette scène ?
7. Qu'est-ce qui permet au spectateur de s'imaginer que le prêteur est Harpagon ?
8. À quoi le portrait que La Flèche trace de lui-même (l. 765-773) sert-il ?
9. Molière, pour cette scène, s'inspire de *La Belle Plaideuse*, de Boisrobert (p. 143-145). Montrez que les changements apportés par Molière visent à se conformer au critère de vraisemblance du classicisme.

Comique

10. Quel procédé du comique de situation est à la base de la scène ?
11. Expliquez et situez avec précision le diable à ressort du comique de situation.

12. Le mystère quant à l'identité du prêteur qui, lui-même, ne connaît pas celle de l'emprunteur, renvoie à quel procédé comique ?
13. Pourquoi le commentaire de La Flèche sur la situation de Cléante (l. 758-761) fait-il sourire ? Quel procédé comique est utilisé ?
14. À quel procédé comique le texte du mémoire renvoie-t-il ? Justifiez votre réponse.
15. La plupart des répliques de La Flèche lorsqu'il commente le mémoire relèvent du même procédé du comique de mot. Lequel ? Donnez-en trois exemples précis.

Acte II, scène 2

Compréhension

1. Quel métier Harpagon pratique-t-il ? Quel rôle maître Simon y joue-t-il ?
2. À l'aide des didascalies qui précisent à qui chacun s'adresse, retracez la structure de la scène.

Action et personnages

3. En quoi le coup de théâtre consiste-t-il ?
4. De quoi Harpagon accuse-t-il son fils ? De quoi Cléante accuse-t-il son père ? Les deux hommes se ressemblent-ils ?
5. Expliquez en quoi cette scène fait avancer l'action.
6. Comment le thème du masque apparaît-il dans cette scène ?

Comique

7. À quel procédé comique le coup de théâtre renvoie-t-il ?
8. Quelle réplique d'Harpagon est particulièrement ironique ?
9. Sur quel procédé comique la querelle entre Harpagon et Cléante (l. 808-835) est-elle bâtie ? Donnez-en trois exemples précis.
10. Pourquoi la formulation suivante de maître Simon est-elle comique : «il s'obligera, si vous voulez, que son père mourra avant qu'il soit huit mois» (l. 787-789) ? Précisez le procédé comique utilisé.
11. De quel comique la dernière réplique qu'Harpagon s'adresse à lui-même relève-t-elle ?
12. En vous aidant de la théorie sur le comique de caractère, expliquez pourquoi cette scène frôle le drame.

Acte II, scènes 3 et 4

Compréhension

1. Que nous apprend la première réplique de La Flèche (l. 842-845) ?

Action et personnages

2. À quoi la scène 3 sert-elle ? Quel ressort dramatique fait agir Harpagon ?
3. À quoi la scène 4 sert-elle ?
4. Quel nouveau suspense la scène 4 suscite-t-elle ?

Comique

5. Retracez et expliquez les trois jeux de mots qui font appel à l'ambiguïté dans la scène 4.
6. À quel niveau le comique de caractère se situe-t-il ?

Acte II, scène 5, voir «Extrait 2» (p. 190-191)

Acte III, scène 1, voir «Extrait 3» (p. 192-193)

Acte III, scène 2

Compréhension

1. Divisez cette scène en deux parties et titrez-les.
2. À quel sport vous font penser les mouvements des personnages ?

Action et personnages

3. Quel ressort dramatique interne fait agir chacun des personnages ?
4. Montrez que, pendant une partie de la scène, chaque personnage joue un rôle, porte un masque.
5. Sur le plan de l'action, à quoi l'aparté final de maître Jacques sert-il ?

Comique

6. Sur quel procédé du comique de situation la scène est-elle construite ? Décrivez-le.
7. Retracez les deux diables à ressort physiques et décrivez-les. Aidez-vous des didascalies.

8. Expliquez en quoi la réplique suivante de Valère est comique : «Que vous n'êtes pour tout potage, qu'un faquin de cuisinier ?» (l. 1367-1368). À quel procédé comique renvoie-t-elle ?
9. Pourquoi les coups de bâton que reçoit finalement maître Jacques font-ils rire ?

ACTE III, SCÈNES 3, 4, 5 et 6

Compréhension

1. Pourquoi Harpagon se présente-t-il avec des lunettes à la SCÈNE 5 ?

Action et personnages

2. À quoi chacune des scènes sert-elle (assurer la transition, faire avancer l'action, approfondir un caractère) ?
3. Quel ressort dramatique externe justifie l'arrivée de Frosine et de Mariane ?
4. Comment Mariane apparaît-elle ?
5. En quoi Frosine et Mariane s'opposent-elles sur leur conception du mariage ?
6. Montrez qu'Harpagon porte un masque dans les SCÈNES 5 et 6.

Comique

7. Expliquez les jeux de mots suivants et précisez le procédé comique utilisé :
   a) «mourir agréablement» (l. 1392) ;
   b) «Harpagon n'est pas le supplice que vous voudriez embrasser (l. 1393) ;
   c) «Je sais que vos appas frappent assez les yeux, sont assez visibles d'eux-mêmes, et qu'il n'est pas besoin de lunettes pour les apercevoir» (l. 1424-1426) ;
   d) «mais enfin c'est avec des lunettes qu'on observe les astres» (l. 1426-1427) ;
   e) «elle est encore toute surprise» (l. 1431).
8. À la SCÈNE 4, de quel procédé du comique de mot les commentaires de Frosine sur le mariage relèvent-ils ?
9. Expliquez comment fonctionnent les interférences du comique de situation dans la SCÈNE 6.

10. Expliquez le procédé du comique de situation qu'implique le jeu de scène décrit à la note 1, p. 81.
11. À quel procédé comique la surprise de Mariane à la vue de Cléante (l. 1451-1452) renvoie-t-elle ?
12. De quel comique relève la réflexion d'Harpagon : «je serai bientôt défait et de l'un et de l'autre» (l. 1455-1456) ?
13. Dans les SCÈNES 5 et 6, en quoi le comique de forme consiste-t-il ?
14. À quel niveau se situe la parodie dans les SCÈNES 5 et 6 ?
15. En vous rappelant que, lors de la création de la pièce en 1668, Molière jouait le rôle d'Harpagon et sa femme, Armande Béjart, celui de Mariane, expliquez pourquoi les SCÈNES 5 et 6 sont un clin d'œil aux spectateurs du temps (voir «Molière lutte contre le parti dévot», p. 139). Précisez le procédé comique employé.

ACTE III, SCÈNE 7, voir «Extrait 4» (p. 194-195)

ACTE III, SCÈNES 8 et 9

Action et personnages

1. Sur le plan de l'action, expliquez à quoi servent les deux scènes.

Comique

2. D'où le comique vient-il à la SCÈNE 8 ? Précisez le procédé du comique de situation utilisé et montrez qu'il s'appuie sur un comique de mot.
3. Pourquoi Harpagon fait-il rire dans les deux répliques suivantes : «Ah ! je suis mort» (l. 1595) et «Que viens-tu faire ici, bourreau ?» (l. 1602) ? Précisez le procédé comique utilisé.
4. Le comique de caractère ressort particulièrement dans trois répliques de la SCÈNE 9. Retracez-les avec précision et dites quels défauts y sont respectivement poussés à l'extrême.
5. À quel procédé du comique de situation renvoie La Merluche faisant tomber Harpagon ?
6. Pour susciter le rire, sur quel ton Cléante doit-il dire sa réplique «vous êtes-vous fait mal ?» (l. 1596) ?
7. De quel procédé comique relève le fait que Cléante assure son père qu'il fera «les honneurs de [son] logis» (l. 1608) pendant qu'on ferrera les chevaux ?

ACTE IV

Acte IV, scène 1

Compréhension

1. Quel moyen Frosine imagine-t-elle pour tirer les jeunes amoureux du pétrin ? Sur quels traits de caractère d'Harpagon mise-t-elle ? Justifiez votre réponse en vous aidant des notes en bas de page.

Action et personnages

2. Cette scène fait-elle progresser l'action ? Justifiez votre réponse.
3. Comment Mariane apparaît-elle ici ?
4. Que reproche Cléante à Mariane ? Quels traits de Cléante ces reproches font-ils ressortir ?
5. Pour quelles raisons Frosine change-t-elle de camp ?
6. Sous quelle forme le thème du masque apparaît-il ?

Comique

7. De quel procédé du comique de situation le tour imaginé par Frosine relève-t-il ?
8. Pourquoi, dans cette scène, Molière insère-t-il si peu d'éléments comiques ?

Acte IV, scènes 2 et 3

Compréhension

1. En examinant attentivement le pronom personnel qu'utilise Harpagon pour parler à son fils, dégagez la structure de la scène 3.

Action et personnages

2. Sur le plan de l'action, à quoi la scène 2 sert-elle ?
3. Retracez les étapes de la manœuvre qu'utilise Harpagon, dans la scène 3, pour obtenir les aveux de son fils.
4. Quel ressort dramatique interne fait agir le fils ? le père ?
5. Comparez la réaction de Cléante lorsque Harpagon lui parle de Mariane durant cette scène avec celle de la scène 4 de l'acte I.
6. Montrez que, dans la scène 3, et le père et le fils portent un masque.

Comique

7. Quel comique de situation structure la première partie de la SCÈNE 3 ? Expliquez-le.
8. Montrez que l'appréciation que Cléante fait de Mariane au début de la SCÈNE 3 relève de l'inversion du comique de situation.
9. À l'aide de la théorie sur le comique de caractère, expliquez pourquoi la fin de la SCÈNE 3 frôle le drame.
10. Pourquoi, à la SCÈNE 3, porter un masque est-il essentiel au comique ?

ACTE IV, SCÈNES 4 et 5

Compréhension

1. Harpagon laisse-t-il toute liberté à maître Jacques dans son arbitrage ?
2. Divisez la SCÈNE 5 en deux parties et titrez-les.

Action et personnages

3. Quel ressort dramatique externe entraîne le changement de situation à la SCÈNE 4 ?
4. La crise entre le père et le fils atteint ici son paroxysme. Retracez-en les principales étapes depuis le début de la pièce.
5. «C'est un grand vice d'être avare et de prêter à usure ; mais n'en est-ce pas un plus grand encore à un fils de voler son père, de lui manquer de respect, de lui faire mille insultants reproches, et quand ce père irrité lui donne sa malédiction, de répondre, d'un air goguenard, qu'il n'a que faire de ses dons ? Si la plaisanterie est excellente, en est-elle moins punissable ? et la pièce où l'on fait aimer le fils insolent qui l'a faite, en est-elle moins une école de mauvaises mœurs ?» (Jean-Jacques Rousseau, *Lettre à d'Alembert sur les spectacles*, 1758). Sur quel critère du classicisme ce jugement de Jean-Jacques Rousseau repose-t-il ?

Comique

6. Expliquez le double diable à ressort au début de la SCÈNE 4 (l. 1829-1839) et montrez qu'il s'appuie sur des caractéristiques stylistiques.

7. Sur quel procédé du comique de situation l'essentiel de la SCÈNE 4 est-il bâti ? Montrez-en les différentes étapes et décrivez les caractéristiques stylistiques qui le renforcent.
8. Le fait que ce soit maître Jacques qui serve de médiateur entre le père et le fils relève de quel procédé comique ?
9. Quand Harpagon tire son mouchoir de sa poche, quel comique ressort, surtout si vous prenez en considération la note 1, p. 100 ?
10. À quel procédé comique renvoie la réplique finale de maître Jacques à la SCÈNE 4 : « Je vous baise les mains » (l. 1908) ?
11. Au début de la SCÈNE 5 (l. 1909-1929), quel procédé comique Molière utilise-t-il ?
12. À quel procédé comique la dernière réplique de la SCÈNE 5 renvoie-t-elle ? Expliquez-le.
13. Pourquoi la dernière partie de la SCÈNE 5 est-elle moins comique (voir « Le comique de caractère », p. 167-168) ?

ACTE IV, SCÈNE 7, voir « Extrait 5 » (p. 196-197)

ACTE V, SCÈNES 1 et 2

Compréhension

1. Décrivez le portrait de la justice que laisse transparaître, dans ces deux scènes, le comportement du Commissaire.
2. Montrez que, dans la SCÈNE 1, Harpagon ne se contrôle plus.

Action et personnages

3. Quel ressort dramatique fait agir maître Jacques ?
4. Qui porte un masque dans la SCÈNE 2 ?
5. Sur quoi le suspense repose-t-il à la fin de la SCÈNE 2 ?

Comique

6. Qu'y a-t-il de comique dans la réaction d'Harpagon à la SCÈNE 1 ? Donnez-en des exemples. À quel procédé du comique de mot cela renvoie-t-il ? En quoi pourrait consister le comique de geste dans cette scène ?
7. De quel procédé comique le portrait de la justice que laisse transparaître le comportement du Commissaire relève-t-il ?

8. Au début de la SCÈNE 2, Molière utilise par deux fois le même procédé comique. Quel est-il ? Délimitez avec précision chacun des deux moments comiques et expliquez-les.
9. Expliquez en quoi consiste le renversement de situation dans la SCÈNE 2.
10. Pourquoi l'accusation de Valère par maître Jacques est-elle comique ? Précisez le procédé comique utilisé.
11. Pourquoi l'interrogatoire de maître Jacques par Harpagon est-il comique ? Quel procédé comique est ici en cause ?
12. Quel défaut de maître Jacques ressort particulièrement dans sa dernière réplique de la SCÈNE 2 (l. 2124-2126) ? À quel type de comique renvoie-t-elle ?

ACTE V, SCÈNES 3 et 4

Compréhension

1. Relevez les termes utilisés par Harpagon pour désigner le vol de sa cassette.
2. Qu'est-ce que la SCÈNE 4 nous apprend au sujet des relations parents-enfants ?

Action et personnages

3. Quelle est l'utilité de la SCÈNE 3 sur le plan de l'action ?
4. Quel ressort dramatique interne fait agir Harpagon ? Valère ?
5. Montrez que, dans la SCÈNE 4, Valère jette en partie le masque et qu'il se comporte différemment avec Harpagon.
6. En quoi cette scène nourrit-elle le suspense ?
7. À quoi servent les répliques avec lesquelles Valère tente de faire savoir qu'il n'est pas celui qu'on pense ?
8. À la SCÈNE 4, par quels arguments Élise tente-t-elle d'infléchir son père ?
9. Le critère de bienséance est-il respecté dans ces deux scènes ? Justifiez votre réponse.

Comique

10. Sur quel procédé du comique de situation la SCÈNE 3 est-elle construite ? Décrivez-le. Quel mot le déclenche ? À quoi les apartés servent-ils ? Relevez trois mots qui nourrissent le procédé et dites de quel procédé du comique de mot ceux-ci relèvent.

11. En quoi le comique de geste dans la SCÈNE 3 pourrait-il consister ?
12. Pourquoi la remarque d'Harpagon « tu n'y as point touché ? » (l. 2221-2222) fait-elle rire ? Précisez le procédé comique utilisé.
13. Expliquez en quoi la réaction d'Harpagon en début de la SCÈNE 4 relève de la parodie.
14. Dans quelle réplique de la SCÈNE 4 l'égoïsme d'Harpagon est-il poussé à l'extrême ? Quel type de comique est ici en jeu ?
15. À quel procédé du comique de situation l'aveu de Valère renvoie-t-il ?

ACTE V, SCÈNES 5 et 6

Compréhension

1. Pourquoi Valère met-il son chapeau à la SCÈNE 5 (l. 2338) ?
2. En vous aidant de la donnée historique que recèle la SCÈNE 5, déterminez vers quelles années se passe la pièce. Déduisez-en l'âge de Valère.

Action et personnages

3. Quel ressort dramatique externe justifie l'arrivée d'Anselme ?
4. Relevez les coups de théâtre dans les deux scènes.
5. Expliquez en quoi ces deux scènes sont des scènes de dénouement.
6. Soulignez les éléments qui relèvent du merveilleux dans la SCÈNE 5. Quel critère du classicisme Molière ne respecte-t-il pas ?
7. Comparez les deux pères.
8. Quel est le dilemme d'Harpagon dans la SCÈNE 6 ?

Comique

9. Quels éléments sociaux Molière satirise-t-il ?
10. À quel procédé comique le jeu de scène dit « de la chandelle » renvoie-t-il (voir les lignes 2344-2345 et la note 4, p. 123) ? Décrivez-le.
11. Dans la SCÈNE 6, quelles répliques d'Harpagon relèvent du comique de caractère ?
12. Expliquez en quoi le dénouement, malgré son côté merveilleux, peut faire sourire les spectateurs. Précisez les procédés du comique de situation et du comique de mot en jeu.

Extrait 1[1]

Acte I, scène 4, lignes 310 à 511

Compréhension

1. Retracez la structure en trois parties de la scène. Pour chacune, précisez le thème.
2. Pourquoi Harpagon a-t-il caché son argent dans le jardin ? Qu'est-ce que cela laisse supposer de ses activités ?
3. Qu'apprend-on sur le mariage et les jeunes filles dans cette scène ?

Action et personnages

4. Relevez les deux répliques qui montrent que Molière tient compte de l'unité de temps.
5. En quoi le coup de théâtre consiste-t-il ?
6. Expliquez l'importance de la scène sur le plan de l'action, des conflits.
7. Comment Élise et Cléante réagissent-ils à la décision de leur père ? Qu'est-ce que cela nous apprend quant à leur caractère respectif ?
8. Étudiez les ressorts dramatiques qui font agir Harpagon dans chacune des parties de la scène.
9. Pour quelle raison Harpagon veut-il épouser Mariane ? L'aime-t-il ?
10. En quoi le suspense à la fin de la scène consiste-t-il ?

Comique

11. Dans la première partie de la scène, décrivez le diable à ressort.
12. Pourquoi, au début de la scène, après l'arrivée de ses enfants, Harpagon est-il risible ? Quel procédé comique est ici mis de l'avant ?
13. Pourquoi la discussion entre Harpagon et son fils (l. 422-460) à propos de Mariane fait-elle rire ? À quel procédé comique Molière fait-il appel ?

---

1 Les cinq extraits qui font l'objet d'une analyse approfondie sont indiqués dans la pièce par des filets noirs tracés dans la marge.

14. Sur quels éléments la satire porte-t-elle dans cette scène ?
15. Quel élément du comique de forme ressort particulièrement lors de la discussion entre Harpagon et Cléante sur les dépenses de ce dernier (l. 372-397) ? Justifiez votre réponse.
16. À quel procédé comique renvoie la réplique d'Harpagon : «Est-ce le mot, ma fille, ou la chose, qui vous fait peur ?» (l. 413-414) ?
17. Précisez les moments dans cette scène où le comique de caractère ressort particulièrement. Dites quel défaut est ici poussé à l'extrême.
18. Dans la dernière partie de la scène, sur quel procédé comique la discussion entre Élise et son père est-elle bâtie ? Donnez-en quatre exemples précis.
19. Toujours dans la dernière partie de la scène, expliquez, à l'aide des didascalies, en quoi consiste le comique de geste.

SUJET D'ANALYSE LITTÉRAIRE

Après avoir situé cette scène, montrez que Molière y engage résolument l'action, tout en réussissant à faire amplement rire le spectateur.

Extrait 2

Acte II, scène 5, lignes 885 à 1103

Compréhension

1. Précisez qui est exactement chacun des dieux ou héros auxquels Frosine fait allusion.
2. Dans le contexte de la scène, qu'est-ce qu'une femme d'intrigue ?
3. Qu'est-ce que la scène nous apprend sur la vie au féminin au XVIIe siècle ?
4. Le critère de bienséance est-il toujours observé dans cette scène ? Justifiez votre réponse.

Action et personnages

5. Dans son métier de femme d'intrigue, quelle technique Frosine privilégie-t-elle ?
6. Retracez les différentes tentatives de Frosine pour convaincre Harpagon. Pour chacune, précisez si elle réussit. Quelle conclusion pouvez-vous en tirer ?
7. Qui porte un masque dans cette scène ? Pourquoi ?

Comique

8. Quel procédé comique est à la base de la scène ?
9. En début de scène, quand Frosine complimente Harpagon sur sa santé (l. 887-919), quel est le procédé du comique de situation utilisé ? Expliquez-le.
10. Pourquoi le « Tant mieux » (l. 919) d'Harpagon est-il comique ? Précisez le procédé comique utilisé.
11. À quel procédé comique renvoie la tirade de Frosine sur la rente de 12 000 livres (l. 954-973) ?
12. Expliquez les jeux de mots suivants : « vous toucherez assez » (l. 984) et « Il faudra voir cela » (l. 987). Quel est le procédé comique utilisé ?
13. Précisez les moments où le comique de forme ressort particulièrement (voir entre autres la photo, p. 59).
14. En dehors des indications fournies par les didascalies, en quoi le comique de geste pourrait-il consister dans cette scène ?

15. Quand Frosine est-elle particulièrement ironique ? Précisez dans quelles répliques.
16. Montrez que cette scène est à la fois une satire de la jeunesse et de la vieillesse.
17. Quel procédé du comique de situation est utilisé lorsque Frosine tente d'arracher de l'argent à Harpagon ? Décrivez-le. En quoi le comique de geste consiste-t-il ici ?
18. Pourquoi la remarque de Frosine « un amant aiguilletté sera pour elle un ragoût merveilleux » (l. 1069-1070), fait-elle sourire ? Précisez le procédé comique utilisé.
19. Par rapport à la scène précédente, à quel procédé comique renvoie l'échec de Frosine en ce qui a trait à la somme d'argent qu'elle souhaite obtenir d'Harpagon ?
20. Quels défauts d'Harpagon sont poussés à l'extrême ? Pour chacun d'eux, précisez le moment comique où il ressort particulièrement.
21. En vous rappelant que, lors de la création de la pièce en 1668, Molière jouait le rôle d'Harpagon et sa femme, Armande Béjart, celui de Mariane, expliquez pourquoi cette scène, tout spécialement quand l'avare fait part de ses craintes de « certains petits désordres » (l. 992), est un clin d'œil aux spectateurs du temps (voir « Molière lutte contre le parti dévot », p. 139). Précisez le procédé comique employé.

SUJET D'ANALYSE LITTÉRAIRE

Montrez que Molière, dans cette scène, obéit aux deux finalités du classicisme : plaire, faire rire puisqu'il s'agit d'une comédie, mais aussi instruire.

EXTRAIT 3

ACTE III, SCÈNE 1, lignes 1104 à 1336

Compréhension

1. Quel titre donneriez-vous à cette scène ?
2. En partant des différents interlocuteurs d'Harpagon, retracez la structure de la scène.
3. Qu'est-ce que cette scène nous apprend sur la vie quotidienne d'une famille bourgeoise au XVIIe siècle ?

Action et personnages

4. Quel ressort dramatique externe justifie cette scène ?
5. À quoi cette scène sert-elle ?
6. Quels traits de caractère dominent chez maître Jacques ?
7. Comparez le comportement de Valère à celui de maître Jacques. Lequel porte un masque ? Pourquoi ?
8. Comment Harpagon se comporte-t-il envers ses domestiques ? ses enfants ?
9. Montrez que cette scène ressemble à une répétition générale au théâtre et qu'à ce titre, elle est du théâtre dans du théâtre (décors, costumes, rôles, etc.).

Comique

10. Le comique de caractère est omniprésent dans cette scène. Quel défaut y est poussé à l'extrême ? Relevez dix traits qui le font particulièrement ressortir.
11. À l'aide du champ lexical utilisé par Harpagon lorsqu'il distribue ses ordres en préparation du souper de mariage, précisez le procédé comique utilisé.
12. Relevez deux répliques de maître Jacques particulièrement ironiques.
13. Harpagon transforme deux maximes. Lesquelles ? À quel procédé comique chacune de ces transformations fait-elle appel ?
14. Situez avec précision le quiproquo et expliquez-le.
15. Expliquez le procédé comique qui structure l'énumération des plats par maître Jacques (l. 1209-1218). Pour ce faire, aidez-vous des didascalies et des notes en bas de page.

16. Expliquez le jeu de mots : « tu manges tout mon bien » (l. 1215). Quel est le procédé comique employé ?
17. De quelle transposition du comique de mot les deux répliques de Valère qui font l'éloge de la frugalité (l. 1219-1224 et l. 1226-1231) relèvent-elles ? Quel champ lexical utilisé par Valère rend la transposition plus probante ?
18. À l'aide de la définition de « coupe-gorge » (l. 1227), montrez qu'il y a ambiguïté.
19. À quel procédé comique renvoie le discours de maître Jacques sur les chevaux (l. 1260-1265, l. 1267-1275 et l. 1278-1282) ?
20. Retracez les deux inversions du comique de mot dans cet extrait.
21. Relevez deux moments où la naïveté de maître Jacques ressort particulièrement et qui relèvent du comique de caractère.
22. Quand Harpagon cherche à convaincre maître Jacques de le mettre au courant de ce qu'on dit de lui, quel procédé comique retrouvons-nous ?
23. À quel procédé du comique de situation la fin de cette scène fait-elle appel ?
24. De quels types de comique les coups de bâton à la fin de la scène relèvent-ils ?

SUJET D'ANALYSE LITTÉRAIRE

Évaluez cette scène sur les plans de l'action, du portrait social et du comique.

Extrait 4

Acte III, scène 7, lignes 1457 à 1585

Compréhension

1. Divisez la scène en deux parties et titrez-les.
2. À partir du comportement de Cléante envers Mariane, déterminez les grandes étapes du code amoureux en usage au temps de Molière.
3. Relevez les caractéristiques stylistiques de la déclaration d'amour de Cléante.
4. Pourquoi la décision de Mariane en ce qui a trait à la bague satisfait-elle et le fils et le père ?

Action et personnages

5. Sur le plan de l'action, cette scène est-elle importante ? Justifiez votre réponse.
6. Expliquez l'importance des deux premières répliques (l. 1457-1463).
7. Pour chacun des personnages importants de cette scène, précisez quel ressort dramatique interne le fait agir.
8. Expliquez le comportement de Mariane.
9. Comment Cléante apparaît-il par rapport à son comportement antérieur ?
10. Quels personnages se cachent derrière un masque dans cette scène ?

Comique

11. Quel procédé comique unifie l'ensemble de la scène ?
12. Trouvez deux répliques ironiques que Cléante adresse directement à son père.
13. À quel procédé comique la tirade de Cléante (l. 1464-1478) et celle de Mariane (l. 1481-1489) renvoient-elles ? Pour chaque tirade, expliquez le procédé avec précision.
14. Situez exactement le double diable à ressort et décrivez-le.
15. Où le comique de geste est-il clairement précisé et en quoi consiste-t-il ?
16. Pourquoi Harpagon dépouillé de sa bague fait-il rire ? Précisez le procédé comique utilisé.

17. Relevez les moments où le comique de caractère ressort particulièrement.

SUJET D'ANALYSE LITTÉRAIRE

Analysez cette scène : la structure et l'importance, les personnages et les ressorts dramatiques, le comique.

Extrait 5

Acte iv, scène 7, lignes 1971 à 2004

Compréhension

1. Divisez le monologue en deux parties et titrez-les.
2. Quand le spectateur a-t-il été mis au courant qu'Harpagon avait caché une cassette contenant 10 000 écus ?
3. Quels champs lexicaux sont privilégiés dans le monologue d'Harpagon ?
4. Relevez les termes qui personnifient l'argent.
5. Dans le monologue d'Harpagon, par quelles caractéristiques stylistiques les sentiments de l'avare ressortent-ils ?

Action et personnages

6. Cherchez, dans la scène 6, l'indice de temps qui permet de situer temporellement le monologue. Molière respecte-t-il ici l'unité de temps ?
7. Expliquez l'importance du vol sur le plan de l'action.
8. Quels ressorts dramatiques interne et externe expliquent cette scène ?
9. Quels éléments permettent d'affirmer que la douleur d'Harpagon est si intense qu'il frôle la folie ?
10. Montrez que le comportement d'Harpagon change au cours de son monologue.

Comique

11. Dans le monologue d'Harpagon, en quoi le comique de mot consiste-t-il ? Précisez le procédé utilisé et les caractéristiques stylistiques qui le renforcent.
12. Expliquez en quoi pourrait consister le comique de geste dans cette scène.
13. À quel procédé comique renvoie le moment où Harpagon s'attrape lui-même ?
14. De quel procédé comique l'implication du public relève-t-elle ?
15. Pourquoi le fait qu'Harpagon ait été volé fait-il rire ? Précisez le procédé comique utilisé.

SUJET D'ANALYSE LITTÉRAIRE

Analysez le monologue d'Harpagon. Faites-en ressortir la structure, les caractéristiques stylistiques et lexicales, l'importance sur le plan de l'action, le comique. Comparez-le au monologue d'Euclion dans *La Marmite* de Plaute.

EXTRAIT DE *LA MARMITE*

ACTE IV, SCÈNE 9 [*L'Avare*, ACTE IV, SCÈNE 7]

EUCLION [HARPAGON]

Je suis perdu, je suis assassiné, je suis mort ! où dois-je courir ? où dois-je ne point courir ? Tenez, tenez celui qui m'a volé. Mais qui est-il ? Je ne sais, je ne vois rien, je marche comme un aveugle, et certes je ne saurais dire où je vais, ni où je suis, ni qui je suis. Je vous prie tous tant que vous êtes de me secourir, et de me montrer celui qui me l'a dérobée. Je vous en supplie, je vous en conjure. Ils se cachent sous des habits modestes, sous la blancheur de la craie et se tiennent assis comme des personnes sérieuses. Pour toi, que dis-tu ? Se peut-on fier à toi ? Car il me semble à voir ton visage que tu es homme de bien. Qu'y a-t-il ? Pourquoi riez-vous ? Je connais tout le monde. Je sais qu'il y a ici beaucoup de voleurs. Quoi, n'y a-t-il personne de tous ceux-là qui l'ai prise ? Tu me fais mourir ! Dis donc qui l'a prise ? Ne le sais-tu point ? Ha, je suis ruiné : je suis le plus malheureux de tous les hommes ; je suis au désespoir, et je ne sais où je vais, ni comme je suis fait ; tant cette journée m'apporte de tristesse, de deuil et de maux.

QUESTIONS DE SYNTHÈSE

1. Analysez *L'Avare* de Molière : action, lieu, temps, personnages, thèmes.
2. Faites un tableau des différents procédés comiques utilisés dans *L'Avare* et illustrez-les.
3. Molière défendait la devise *Castignare mores ridendo*, soit « Châtier les mœurs en riant ». Cela s'applique-t-il à *L'Avare* ?
4. Illustrez l'importance du thème du masque dans *L'Avare*.
5. Que nous apprend *L'Avare* sur la bourgeoisie française du XVIIe siècle ?
6. En quoi la pièce *L'Avare* est-elle une comédie d'intrigue, de mœurs et de caractère ?
7. Quelle scène vous semble la plus drôle ? Justifiez votre choix.

Molière à 35 ans.

Annexes

TABLEAU CHRONOLOGIQUE

	Vie et œuvre de Molière	Événements historiques	Événements culturels	
1617		Début du règne de Louis XIII.		1617
1622	Naissance de Jean-Baptiste Poquelin.			1622
1632	Mort de Marie Cressé, sa mère.	Samuel de Champlain, *Voyages de la Nouvelle-France*, relation de ses voyages de 1603 à 1629.		1632
1633		Abjuration de Galilée devant le tribunal de l'Inquisition : «Et pourtant, elle se meut !»		1633
1635			Fondation de l'Académie française.	1635
1636			Pierre Corneille, *Le Cid*.	1636
1637			René Descartes, *Discours de la méthode*.	1637
1638		Naissance de Louis XIV.		1638
1642		Fondation de Ville-Marie (Montréal).		1642
1643	Fondation de l'Illustre-Théâtre avec Madeleine Béjart.	Mort de Louis XIII ; régence d'Anne d'Autriche ; Mazarin ministre.		1643
1644	Jean-Baptiste Poquelin utilise pour la première fois son pseudonyme Molière.		Premier séjour en France de Tiberio Fiorelli, dit Scaramouche.	1644

1645	Faillite de l'Illustre-Théâtre. Début de la tournée à travers la France.			1645
1648		Début de la Fronde, révolte des Grands contre la royauté.		1648
1652		Fin de la Fronde.		1652
1654		Début du règne de Louis XIV.		1654
1655	*L'Étourdi.*		Boisrobert, *La Belle Plaideuse.*	1655
1656	*Le Dépit amoureux.*			1656
1657			Tallemant des Réaux commence à écrire ses *Historiettes.*	1657
1658	Retour de Molière à Paris, salle du Petit-Bourbon.		Traduction de *La Marmite [Aulularia]* de Plaute par l'abbé de Marolles.	1658
1659	*Les Précieuses ridicules.*	Mariage de Louis XIV et de Marie-Thérèse, infante d'Espagne.		1659
1660	*Sganarelle.*			1660
1661	*Les Fâcheux, L'École des maris.* Installation au Palais-Royal.	Mort de Mazarin ; Louis XIV gouverne seul. Début de la construction de Versailles.		1661
1662	Mariage avec Armande Béjart. *L'École des femmes.*			1662

TABLEAU CHRONOLOGIQUE

	Vie et œuvre de Molière	Événements historiques	Événements culturels	
1663	*L'Impromptu de Versailles.*			1663
1664	*Tartuffe.*			1664
1665	*Dom Juan.*			1665
1666	*Le Misanthrope, Le Médecin malgré lui.*			1666
1667			Jean Racine, *Andromaque.*	1667
1668	*Amphitryon, Georges Dandin, L'Avare.*		Jean de La Fontaine, *Les Fables.*	1668
1669	*Tartuffe* est autorisée. *Monsieur de Pourceaugnac.*			1669
1670	*Le Bourgeois gentilhomme.*		Blaise Pascal, *Pensées.*	1670
1671	*Psyché, Les Fourberies de Scapin, La Comtesse d'Escarbagnas.*		Début de la correspondance entre Mme de Sévigné et sa fille.	1671
1672	*Les Femmes savantes.* Mort de Madeleine Béjart.	Installation de Louis XIV à Versailles.		1672
1673	*Le Malade imaginaire.* Mort de Molière après la quatrième représentation (17 février).	Fin des *Relations des Jésuites* commencées en 1632.		1673

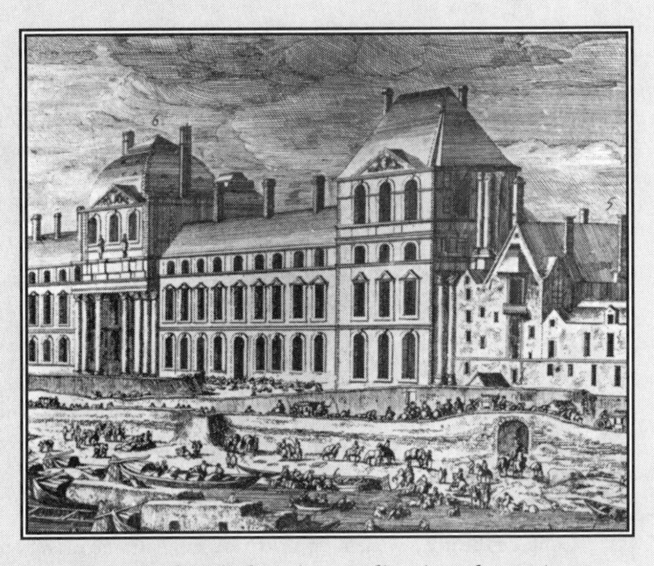

Le Petit-Bourbon (à droite) où Molière joua de 1658 à 1660. Les représentations y avaient lieu dans l'après-midi, avant la noirceur, pour garantir la sécurité des spectateurs.

LEXIQUE DU THÉÂTRE

Acte : partie d'une pièce qui se subdivise en scènes. À l'époque de Molière, l'acte dure trente-cinq minutes au maximum, soit la durée des bougies qui éclairent la scène et qui sont remplacées entre les actes.

Action : ce qui se passe sur la scène, ce qu'y font les différents personnages.

Aparté : convention théâtrale selon laquelle certaines paroles d'un personnage ne sont comprises que des spectateurs.

Bienséance : critère selon lequel l'écrivain doit respecter les bonnes mœurs, la morale.

Caractère (comédie de) : comédie qui peint un travers individuel.

Commedia dell'arte (comédie de l'art) : farce à l'italienne.

Conflit : affrontement entre deux personnages ou groupes de personnages.

Coup de théâtre : événement inattendu qui entraîne un rebondissement de l'action, de l'intrigue.

Dénouement : une ou plusieurs scènes, à la fin de la pièce, où les conflits se résolvent, où se dénouent les fils de l'intrigue, de l'action.

Dialogue : ensemble des répliques que s'échangent deux ou plusieurs personnages.

Didascalie : indication relative à la mise en scène et au jeu des acteurs, fournie par l'auteur (ex. : «*Il tire son mouchoir de sa poche* […]», l. 1906). Ces indications donnent de précieuses informations pour comprendre certains comiques. À noter que la plupart des didascalies de *L'Avare* ont été ajoutées aux éditions publiées après la mort de Molière (1682, 1734).

Exposition : une ou plusieurs scènes qui, au début de la pièce, renseignent le spectateur sur l'objet de l'action, les principaux personnages, le temps et le lieu.

Farce : genre littéraire où les comiques de forme, de geste, de situation ou de mot se retrouvent sous la forme de gags, de coups de bâton, de procédés bouffons, de grosses plaisanteries, de renversements de situation, de péripéties rocambolesques, autres, et dont les personnages-types (le père avare, le valet rusé, etc.) sont facilement reconnaissables par le spectateur.

Intrigue : ensemble des événements qui forment une pièce de théâtre.

Intrigue (comédie d') : comédie qui accumule les situations nouvelles, les coups de théâtre, les quiproquos, les déguisements, les scènes de théâtre dans le théâtre.

Mœurs (comédie de) : comédie qui porte sur le comportement d'un groupe, d'une classe sociale, d'une époque.

Monologue : réplique d'un personnage qui, seul, pense à haute voix.

Reconnaissance (scène de) : scène par laquelle l'identité réelle d'un personnage est dévoilée.

Réplique : réponse d'un personnage à un autre personnage.

Ressort dramatique : élément qui fait avancer l'action. Il est externe s'il s'agit d'un fait, d'un événement, et interne s'il s'agit d'un trait de caractère, d'un sentiment, d'un point de vue d'un personnage.

Scène : partie d'un acte. Dans le théâtre classique, l'entrée ou la sortie d'un personnage entraînent un changement de scène.

Suspense : moment qui éveille chez le spectateur une attente, qui le tient en haleine.

Théâtre dans le théâtre : technique par laquelle une pièce se joue à l'intérieur d'une autre pièce.

Tirade : longue réplique d'un personnage.

Transition (scène de) : courte scène qui fait le lien entre deux autres scènes plus importantes.

Unités (règle des trois) : règle du théâtre classique qui demande que l'action soit unique (action), qu'elle ne dure qu'une journée (temps) et qu'elle se déroule en un seul lieu (lieu). « Qu'en un lieu, qu'en un jour, un seul fait accompli / tienne jusqu'à la fin le théâtre rempli » (Boileau, *L'Art poétique*, v. 45-46).

Vraisemblance : critère selon lequel l'écrivain doit peindre d'après nature.

Lexique de l'œuvre

accommodé : riche.
aiguillette : lacet qui permet d'attacher le haut-de-chausses (culotte) au pourpoint (veste). La mode commandait de la remplacer par un ruban.
aimable : digne d'être aimé.
amitié : affection.
au moins : évidemment.
aversion : dégoût.
blondin : qui porte une perruque blonde.
çà : ici.
cassette : petit coffre.
céans : dans la maison, ici.
chaleur : passion.
comme : comment.
condition : classe sociale.
coquin, coquine : au XVIIe siècle, terme injurieux.
courtier : intermédiaire entre le prêteur et l'emprunteur.
d'abord : tout de suite.
déplaisir : tourment.
diantre : diable.
disgrâce : malheur.
dot : somme d'argent que fournissent traditionnellement les parents de la future mariée. Au XVIIe siècle, le mot est indifféremment masculin ou féminin.
écu : l'écu d'argent valait 3 livres ou francs ; l'écu d'or valait 10 livres ou francs.
entend (s') : va de soi.
essuyer : endurer.
fesse-mathieu : usurier (qui prête à un taux supérieur au taux légal).
foi : promesse de fidélité en amour.
fortune : destinée.
hardes : vêtements (sans nuance péjorative).
haut-de-chausses : culotte pour homme, s'arrêtant aux genoux et bouffante à l'époque de Molière.
hymen : mariage.

impertinent : déplacé.
ladre : avare.
mémoire : liste.
où : auquel, à laquelle.
ouïr : écouter, entendre.
plancher [de l'étage supérieur] : plafond.
pourpoint : veste pour homme.
que : où.
quérir : chercher.
rossir : battre.
sans doute : sans aucun doute.
seigneur : monsieur (sans référence à la noblesse).
tout à l'heure : tout de suite.
traverse : obstacle, difficulté.
usure : prêt à un taux supérieur au taux légal.
vilain : avare.
vœux : désirs amoureux.

Bibliographie

Bergson, Henri. *Le Rire, essai de définition*, Paris, Presses universitaires de France, coll. «Bibliothèque de philosophie contemporaine», 1972.
Bray, René. *Molière, homme de théâtre*, Paris, Mercure de France, 1992.
Canova, Marie-Claude. *La Comédie*, Paris, Hachette, coll. «Contours littéraires», 1993.
Conesa, Gabriel. *La Comédie de l'âge classique 1630-1715*, Paris, Seuil, coll. «Écrivains de toujours», 1995.
Duchêne, Roger. *Molière*, Paris, Librairie Arthème Fayard, 1998.
Molière. Œuvres complètes, édition par Georges Couton, Paris, Gallimard, coll. «Bibliothèque de la Pléiade», 2 vol., 1983.
Molière, une vie pour le théâtre, Paris, Éditions Ilias, 1997 (cédérom).

Filmographie

L'Avare, mise en scène de Jean Girault, 1979, avec Louis de Funès dans le rôle d'Harpagon.
Molière, film réalisé par Ariane Mnouchkine, 1978.